언택트 시대의

크리스천 가치관 수업

하권

김 재 헌 지음

대|경|북|스

언택트 시대의
크리스천 가치관 수업
하권

1판 1쇄 인쇄 2021년 6월 10일
1판 1쇄 발행 2021년 6월 15일

지은이 김재헌

발행인 김영대
표지디자인 김영대
편집디자인 임나영
펴낸 곳 대경북스
등록번호 제 1-1003호
주소 서울시 강동구 천중로42길 45(길동 379-15) 2F
전화 (02)485-1988, 485-2586~87
팩스 (02)485-1488
홈페이지 http://www.dkbooks.co.kr
e-mail dkbooks@chol.com

ISBN 978-89-5676-856-4
978-89-5676-854-0(세트)

프롤로그

가치를 세워요

♣

아이들에게 올바른 가치를 심어주는 일은 잘 먹이고 잘 입히는 것보다 더 중요합니다. 미래학자들은 말합니다. 적어도 15년 후 가장 큰 경쟁력은 정직이라고 말입니다. 정직이란 맨날 과외를 받아 열심히 배운다고 생기는 지식의 문제가 아니라 자라면서 깨달아야 할 품성의 문제입니다. 어떤 경우에도 양보하지 않는 확고한 가치관을 세워서 어릴 때부터 실천하게 해야 세워지는 덕목이죠.

그러면 어떻게 해야 이러한 덕목들을 아이들에게 심어줄 수 있을까요? 대개의 사람들은 한 권의 책을 읽고, 우리는 재미있다는 둥 별로라는 둥, 지나치게 교훈이 앞선다는 둥, 말의 재미만 있다는 둥 여러 가지 반응을 하게 됩니다. 책을 읽는 아이가 어디가 좋았다거나 왜 좋았냐를 굳이 따져볼 까닭이야 없지만, 책을 소개하는 사람이나 비평하는 어른에게는 "왜 그런 느낌이 들었는지"를 물어보는 일은 중요하죠.

아이들은 책을 읽고 마음속으로 반응한답니다. 반면 어른들은 머리로 반응합니다. 그래서 자칫 어른들이 어린이 책에 반응하는 것이 관념에 머무를 가능성이 큽니다. 관념에 머무르지 않고 올바로 작품을 들여다볼 수 있으려면, 작품을 여러 번 읽고 그 작품 속에 숨어 있는 특질을 찾아서, 어떤 타당성이 있는지 하나하나 따져볼 필요가 있습니다.

어린이문학에는 문학이 담고 있는 특질이 그대로 살아 있습니다. 그러므로 작품의 소재와 주제만을 살펴보는 일에서 나아가, 한 작품이 얼마나 녹아 있는가를 살펴보는 일은 아주 중요하답니다. 문학은 사상이나 지식을 그대로 가르치는 책이 아니라, 독자에게 작가의 생각을 전달하려는 의사소통이랍니다. 그런 점에서 작가의 생각이 그 마음속에서 성장됨에 따라 이루어지는 모양이며, 독자한테 그 생각을 전달하려는 방법인 구성이 중요할 수밖에 없죠. 그래서 구성이 좋은 책을 매개로 아이들과 이야기를 나누며 아름다운 가치를 심어주는 것은 너무나도 중요합니다.

1919년 프랑스의 파리에서 평화를 위한 국제회의가 열렸어요. 세계 여러 나라의 지도자들이 참석했는데 아랍(중동)의 지도자들도 이 회의에 초청되었어요. 아랍의 지도자들은 파리의 멋진 호텔에 머물게 되었어요. 그런데 그들은 욕실에 있는 수도꼭지에서 쉴새없이 물이 나오는 것을 보고 너무나 깜짝 놀랐어요. 왜냐하면 중동 땅에는 물이 너무나 귀했기 때문이지요. 그래서 물이 콸콸 나오는 신기한 물건을 쳐다보고 또 쳐다보았어요.

그런데 회의가 끝날 무렵 웃지 못 할 일들이 일어났어요. 아랍의 지도자들이 사용했던 숙소의 수도꼭지들이 전부 없어진 것이었어요. 그들은 수도꼭지가 물을 콸콸 나오게 하는 신기한 물건이라고 생각한 것이지요.

제 손에 수도꼭지가 있다고 쳐요. 지금 이 수도꼭지를 돌리면 정말 물이 나올까요? 아니지요. 그럼 왜 집에 있는 수도꼭지를 틀면 물이 나오는데 이 수도꼭지에서는 물이 안 나오는 것일까요? 그래요 수도꼭지에서 물이 나오려면 물의 근원과 연결이 되어 있어야 하는 것이죠. 마찬가지로 아이들에게 무엇인가를 가르치려면 근거가 필요하답니다. 그 근거가 되어주는 이야기가 바로 이 책에 실린 글들이랍니다.

이 책을 읽으면서 아이들과 아름다운 가치와 성품에 대해 서로 이야기를 나누어보세요. 그래서 아이들 스스로가 올바른 가치를 깨닫고 세워 나갈 수 있도록 도와주세요. 세상이 혼탁할수록 아름다운 가치는 빛을 나타낸답니다. 이 책을 읽는 아이들이 세상의 주인이 되는 날, 우리 아이들 때문에 미래가 좀 더 아름다워졌으면 합니다.

2021년 여름을 맞으며

차 례

CONTENTS

말씀 34 서로 원망이 없게 해요
Make each other grumble

말씀 35 둘 다 같아요 Both are equal

말씀 36 서로 행복해 지는 지름길
A shortcut to happiness

CONTENTS

말씀 40 순서와 절차가 열매를 맺어요
Order and procedure bear fruit

말씀 41 순서와 절차는 불편해도 공평해요
Order and procedure are fair, even if uncomfortable

말씀 42 질서와 권위는 나를 위해 필요한 것
Order and authority are what I need for me

CONTENTS

나를 존중하듯이 남도 존중해요

Respect for me as I respect you

(말씀 _ 25)

본문 눅 6:31-33

남에게 내접을 받고자 하는 대로 너희도 남을 대접하라 너희가 만일 너희를 사랑하는 자만을 사랑하면 칭찬 받을 것이 무엇이냐 죄인들도 사랑하는 자는 사랑하느니라 너희가 만일 선대하는 자만을 선대하면 칭찬 받을 것이 무엇이냐 죄인들도 이렇게 하느니라.

외울 말씀

"남에게 대접을 받고자 하는 대로 너희도 남을 대접하라."(눅 6:31)

관련 동영상

강영우 박사

나를 존중하는 법

필자는 어려서부터 “하나님은 참 불공평하신 분이다”는 생각을 많이 했습니다. 왜냐하면 갑자기 열악해진 집안 환경, 그리고 왜소한 체격에 잔병이 많은 몸 때문이었습니다. 이러한 필자의 핸디캡을 극복하는 데에 결정적인 역할을 한 사람은 강영우 박사였습니다. 그분은 맹인, 즉 시각장애인임에도 불구하고 박사학위를 받았고, 결국 미국 백악관의 보좌관으로 근무하기까지 했습니다.

“오르지 못할 산은 없다.”

이것은 시각장애인으로 미국 교육부 차관보급에 오른 강영우 박사가 제시하는 성공의 모토였다고 합니다.

그분은 늘 주위에 이렇게 말했습니다.

“생각을 바꾸면 항상 새로운 길이 열린다. 나는 다른 사람이 불가능하다고 하는 것을 나를 존중하는 마음으로 이루어냈다.”

어려움의 때는 영원히 지속되지 않는 법입니다. 어려움을 이겨내고 성공한 강영우 박사는 자기 존중이 얼마나 중요한지를 보여

주는 참모델입니다. 사람이 살면서 위기에 닥치면 좌절도 하지만 오히려 날개를 갖게 되는 경우가 많습니다. 문제는 내가 내 자신을 얼마나 존중하느냐에 달렸다고 생각합니다. 자신을 존중해야 다른 사람도 나를 존중합니다. 자신을 비하하고 스스로 '나는 못난이야'라고 생각하면 누구도 용기 없는 사람을 도와줄 수 없기에 우리는 스스로도 존중해야 합니다.

이런 동화를 한 번 들어 보십시오.

어느 숲속 마을에 많은 동물들이 모여 살고 있었습니다. 그중에는 아기토끼도 있었습니다. 아기토끼는 지난겨울 몇에 걸려 구르는 바람에 한 쪽 눈이 안 보이게 되고, 다리를 절게 되었습니다. 다른 동물들은 그런 아기토끼를 보고 '못난이'라고 불렀습니다.

'왜, 다른 동물들은 나만 보면 피할까?'

아기토끼는 고개를 갸우뚱거리면서 거울을 들여다보았습니다. 눈에 흉터가 있어서 자기가 보기에도 흉한 얼굴이었습니다. 아기토끼는 못생긴 얼굴 때문에 자기도 모르게 화가 났습니다.

"에이, 어차피 미움받을 거라면 내 멋대로 해야지."

아기토끼는 중얼거리면서 다른 동물들이 노는 곳으로 모래를 뿌리면서 달려갔습니다.

"못난이! 못난이가 심통을 부린다!"

"도깨비 같은 얼굴로 우리 친구가 되려고 하다니."

다른 동물들이 아기토끼를 약올리면서 도망을 갔습니다. 아기토끼는 그 동물들을 쫓다가 말고 소리 내어 엉엉 울었습니다. 약올라서 분하기도 하고 동물 친구들이 자기만 놀리고 따돌렸으니까 너무 슬펐던 것입니다.

그때 바람이 지나가면서 아기토끼의 귀에 작은 소리로 속삭였습니다.

"얼굴이 곱다고 마음씨가 다 고운 것은 아니란다. 네 마음이 누구보다도 아름다운 것을 나는 알고 있어. 오늘부터 착한 일만 해보렴. 그러면 다른 동물들은 너를 '못난이'라는 놀려대지만은 않을 테니까."

아기토끼는 귀가 솔깃해 졌습니다. 그리고 바람이 일러준 대로 착하게 행동했습니다. 그렇게 일주일을 보내고, 한 달이 지나고, 일 년이 흘렀습니다. 처음에는 마지 못해서 착하게 행동했지만 그러다 보니 나중에는 정말 기쁜 마음으로 하게 됐습니다. 그러자 다른 동물들이 하나 둘 아기토끼를 칭찬하기 시작했습니다. 아기토끼는 덫에 걸려 다치기 전처럼 친구들과 행복하게 지낼 수 있게 되었습니다.

사람은 입는 옷이나 생긴 모양으로 대접받는 것이 아니랍니다. 우리의 마음씨가 고우면 그것을 인정하고 사람들이 칭찬하고 좋아하게 됩니다. 그러나 나 자신이 나를 사랑하고 존중하지 않으면 어느 누구도 나를 존중해 주지 않습니다.

비록 아무것도 없어도

강영우 박사는 어릴 적에 아버지를 여의고 홀어머니 품에서 자랐다고 합니다. 중학교 재학 중일 때의 일입니다. 어느 날 축구를 하는데 갑자기 공이 눈앞으로 날아왔습니다.

"아! 눈이 안 보여!"

"영우가 다쳤어. 양호실로 데리고 가자."

양호실에 도착해서 응급조치를 취해도 영우는 고통을 호소하며 외쳤어요.

"눈이 아퍼! 눈이 아퍼."

"아무래도 안 되겠다. 교무실에 연락해서 얼른 앰뷸런스를 불러야겠어."

이윽고 영우는 응급실로 실려가서 입원을 하게 되었습니다. 며칠 후 영우의 어머니에게 의사 선생님은 이렇게 말했습니다.

"죄송합니다. 최선을 다했지만 시신경을 다쳐 재생은 어려울 것 같습니다."

"우리 영우가 평생 앞을 못 본단 말이에요?"

"정말 기적같이 시신경이 회복될 수도 있지만, 그렇다고 해도 100% 완치는 어려울 겁니다. 지금이라도 시각장애인 학교로 옮겨 재활을 돕도록 하는 것이 영우 군의 일생에 도움이 될 겁니다."

영우 군은 2년 동안 치료를 받으며 두 차례 대수술을 했지만, 결국 실패하고 실명하게 되었습니다. 설상가상으로 멀쩡하던 아들이 맹인이 되었다는 소식을 들은 어머니마저 이틀 후에 충격으로 돌아가셨습니다. 하지만 이게 끝이 아니었습니다. 아버지와 어머니 모두 돌아가시자 생계마저 막막해졌습니다. 그래서 그의 누나는 일하러 공장에 다녔습니다. 하지만 누나마저 과로로 쓰러져 세상을 떠나게 됐습니다. 그야말로 엎친 데 덮친 격이었습니다. 그는 처음에는 그것을 신이 내린 재앙이라고 생각했습니다.

"하나님! 하나님이 계시다면 이럴 수는 없습니다. 어떻게 저 하나 때문에 우리 집안이 이렇게까지, 흑흑흑……."

정말 모든 것을 잃었다고 해도 틀린 말은 아니었습니다. 하지만 실명의 고통과 사회의 편견을 이겨내고, 1968년 연세대학교 교육학과에 입학하게 됩니다. 그리고 문과대학에서 전체 차석으로 졸업했습니다.

하나님을 믿으라

하나님은 간절히 하나님을 찾는 사람이 만날 수 있다고 성경에 말씀하셨습니다. 대학을 졸업할 무렵 그의 일생에서 최고의 행운이 찾아왔습니다. 자신을 돌봐주던 도우미 선생님이 있었습니다.

그 분은 숙명여대에 다니는 여대생이었는데, 앞을 보지 못하는 강영우 학생을 위해 자원봉사로 도와주었던 것입니다. 비록 실명의 아픔과, 가족들과 이별한 아픔을 가지고 있었지만, 그래도 꿋꿋하게 자신을 살게 한 하나님의 뜻이 있다고 믿고 최선을 다하는 모습에 감동을 받은 이 아름다운 여인은 결국 강영우 군과 결혼하게 되었습니다. 그리고 맹인은 유학을 갈 수 없다는 법률에 대해 위헌심판을 제청한 결과 위헌판결을 받아 내어 결국 그해 8월 장애인으로는 최초로 정부 유학생으로 아내와 함께 미국으로 건너갔습니다. 그리고 3년 8개월 만에 피츠버그 대학에서 교육학 석사, 심리학 석사, 교육 전공 철학박사 학위를 취득했습니다.

그는 처음에는 모든 것을 잃고 절망했지만 차츰 생각을 바꿔 자신이 겪은 고난이 바로 '영광으로 가는 데 필요한 자양분'임을 깨달았습니다. 그리고 자녀들도 훌륭하게 키워냈습니다. 첫째아들은 아버지의 눈을 고치겠다고 열심히 공부해서 하버드에 입학해 안과의사가 되었습니다. 둘째아들은 아버지처럼 공공정책 결정에 참여해 아름다운 세상을 열어가겠다고 민주당 원내대표 선임 법률고문이 되었습니다.

결론입니다

"풍랑이 배를 더 빨리 달리게 한다."

여러분! 인생을 살다 보면 사람에게는 원치 않는 폭풍에 의한 파도가 자주 일어난다는 사실을 알게 됩니다. 하지만 때로는 배를 뒤집을 것처럼 위험한 풍랑을 일으키는 바람이 배를 더 빨리 목적지에 데려다준다는 사실도 깨닫게 됩니다.

만약 강영우 박사가 실명에 좌절하고, 이를 극복하려고 하지 않았더라면, 강영우 박사 자신도 미국 교육계 명사 인명사전과 세계명사 인명사전에 등재되는 일도 없었을 것입니다. 그리고 큰아들이 안과의사가 되고 둘째아들이 민주당 원내대표 선임 법률 고문이 될 수도 없었을 것입니다. 당장은 너무 힘들고 포기할 것만 같은 힘든 환경이라도, 이에 좌절하지 않고 이를 극복하기 위하여 노력을 한다면 그것이 약이 될 수 있습니다. 문제는 얼마나 내가 나 자신을 존중하고 믿는냐는 것입니다.

이를 악물고 억지로 하는 것만이 끈기는 아닙니다. 좋아하는 일을 즐기면서 자신이 이겨낼 수 있음을 믿고 자신을 존중하는 것이야말로 멋지고 훌륭한 진짜 끈기임을 잊지 말기 바랍니다.

하나님 아버지!

저 보다 더 저를 사랑하심을 감사하고 찬양드립니다. 하나님은 우리가 우리 스스로를 사랑하기를 원하십니다. 스스로를 사랑하고 존중할 때, 우리 안에 계시는 성령님의 도움으로 말미암아 우리는 꿈을 이루고 또한 성장하게 될 것입니다. 하나님을 믿고 또한 자신을 믿으면서 자기 존중의 가치관을 확립하게 하여 주옵소서.

예수님의 이름으로 기도합니다. 아멘!

모두가 귀해요

Everyone's precious

(말씀 _ 26)

본문 사 32:7-8

악한 자는 그 그릇이 악하여 악한 계획을 세워 거짓말로 가련한 자를 멸하며 가난한 자가 말을 바르게 할지라도 그리함이거니와 존귀한 자는 존귀한 일을 계획하나니 그는 항상 존귀한 일에 서리라.

외울 말씀

"존귀한 자는 존귀한 일을 계획하나니 그는 항상 존귀한 일에 서리라."(사 32:8)

관련 동영상

세클턴

자존감 - 나는 나를 사랑해요

주커만 농장의 헛간은 무척 큰 곳으로 아주 오래전에 지었습니다. 그 안에서는 마른 풀과 거름 냄새가 났으며 지친 말들의 땀 냄새와 묵묵히 잘 견디는 암소들의 달콤한 숨결 냄새도 풍겨 나옵니다. 헛간 안에 있으면, 이 세상에는 나쁜 일이라고는 절대로 일어날 것 같지 않은 평화의 냄새도 맡을 수 있었답니다.

한 나그네가 향기가 나는 한 덩어리의 진흙을 얻었습니다. 그런데 그 진흙에서는 너무나 아름다운 향기가 났어요.

그래서 나그네는 진흙에게 물어보았어요.

"너는 바그다드의 진주냐?" 그러자 진흙은 "아니에요."라고 말했어요.

"그럼 너는 인도의 값진 향수냐?" 그러자 진흙은 "아니에요." 라고 대답했어요.

"그럼 너는 무엇이냐?" 그러자 진흙은 "나는 그냥 한 덩어리의 흙이랍니다."

"그러면 어떻게 그런 향기가 나오느냐?" 그러자 진흙은 수줍은 듯이 이야기 했어요.

"나는 겉보기에는 보잘 것 없어 보일지 모르지만, 백합꽃을 많이 피워냈거든요. 그래서 아마 제게서 백합꽃의 향기가 나는 것 같아요.”

진흙에서 나는 향기의 비밀이 백합꽃을 피워냈던 결과이듯이 우리들도 자신이 남에게 도움을 줄 수 있음을 믿고 오래오래 함께 살다보면 자연스럽게 향기를 낼 수 있습니다. 사람은 먼저 남에게 어떻게 도움을 줄지를 깨닫고 그런 자신을 사랑해야 남도 사랑할 수 있답니다. 즉 자존감이 높아야 존중감도 높아지는 법입니다.

서로 믿는 만큼 성공해요

서로 존중할 때 어려움도 위기도 쉽게 극복이 되는 법입니다. 이런 이야기를 한 번 들어보세요.

1913년 8월 3일 스테판(Stephan)이 이끄는 캐나다 탐험대는 얼어 붙은 북극 지방을 최초로 육로 횡단하겠다는 목표를 세우고 출발하게 됩니다. 그러나 이들이 탄 탐험선 칼럭호는 곧 단단한 빙벽에 박혀 부서지고, 이들은 오도가도 못한 채 그 자리에서 고립되고 말았습니다. 그 후 캐나다 탐험대의 승무원들은 고립된 수개월 동안 거짓말하고, 속이고, 도둑질하는 극히 이기적인 사람들로 돌변해버리고 맙니다. 결국 같은 팀의 사람들이 서로 믿지 못하고 자기만 살겠다는 이기적인 마음으로 속이는 바람에 그

들은 결국 비극적 결과를 맞이하게 되었습니다. 11명의 승무원 모두 북극의 얼음같은 불모지에서 전멸해버린 것입니다. 실패가 곧 죽음으로 이어져 버린 사건이었습니다.

그러나 정확히 1년 뒤 그와 똑같은 상황이 지구 반대편에서 일어났는데, 결과는 전혀 달랐습니다. 1914년 12월 5일 투지에 불타는 영국의 탐험가 어네스트 섀클턴이 이끄는 27명의 남극 대륙 횡단 탐험대가 남빙양에 있는 사우스 조지아 섬에서 기세 좋게 닻을 올리고 출발합니다. 최초로 남극 대륙을 육로로 횡단하겠다는 야심찬 계획이었습니다.

하지만 출항한 지 얼마 안 되어 이들이 탄 탐험대 역시 남극의

추위 속에서 식량과 보급 부족이라는 절체절명의 위기에 던져집니다. 그 후 2년 동안 그들은 펭귄을 잡아먹으며 허기를 달랬고, 얼어붙은 웨들 해 부빙(浮氷) 위에서 생활하며 생존을 위해 사투를 벌여야 했습니다. 지붕도 없는 보트로 험난한 남빙양을 2번이나 건너는 위험천만한 항해를 감행한 끝에, 절해의 고도 엘리펀트 섬에서 끝까지 처절하게 살아 남아 모두 구조되었습니다.

어떻게 이런 일이 가능했을까요? 그것은 섀클턴 대장의 리더십 아래 서로가 서로를 존중하며 사랑으로 버텨냈기 때문입니다.

"대장님! 어쩌면 우리는 남극점에 도달하기는커녕 죽을지도 모릅니다."

"잘 들으라! 목표나 목적이 중요한 것이 아니다. 우리는 이 극한 상황 속에서도 인간애를 잊어버리지 않는 것을 시험하려고 여기에 왔다. 만약 죽음의 길목에 설지라도 우리는 서로를 기꺼이 사랑해야 한다."

이렇게 생과 사의 처절한 갈림길에서 새클턴 대장은 목적보다 목표보다 중요한 것은 팀워크라고 외쳤고, 끝없는 용기로 대원들을 격려하였습니다.

새클턴 대장의 헌신에 따라 그의 대원들도 그 극한 상황 속에서 서로 격려를 아끼지 않았습니다. 이러한 희생 정신을 바탕으로 한 진정한 팀워크를 보여 주어 결국 그들은 한 명의 낙오자도 없이 무사 귀환할 수 있었던 것입니다.

존중하면 존중받는다

상황이 힘들어지면 사람들은 숫자가 적은 데도 불구하고 작은 일에도 서로 짜증을 내고 미워하는 마음이 생기기 마련입니다. 그런데 그 마음의 분쟁을 하나가 되도록 조정하는 것이 위대한 생명 존중의 가치관이요 성품입니다.

새클턴 일행이 탔던 탐험선의 이름은 인내(Endurance)호였습니다. 인내는 한계가 있습니다. 그래서 많은 사람들이 위기의 마지막 순간을 견디지 못하고 극단적인 선택을 합니다. 하지만 여기에 진정한 사랑으로 존중에 존중을 더하면 사람들은 다시 한 번 인내하게 됩니다.

새클턴 일행이 비록 원래 목적은 이루지 못했지만, 실패가 죽음으로 이어지지 않도록 극한 상황 속에서 함께 살아 귀환하겠다는 진정 어린 생명 존중의 정신은 북극점을 탐험했던 스테판 일행에 비하면 하늘과 땅의 차이입니다.

이러한 섀클턴 대장의 리더십을 '섀클턴 서바이벌(Leading at the Edge) 리더십'이라고 합니다. 데니스 퍼키스라는 작가에 의해 책으로 소개되기도 했습니다. 지금도 이 책은 많은 이들에게 깊은 감명을 던져주고 있습니다.

결론적으로 말하면 섀클턴 대장이 보여준 리더십은 한마디로 생명 존중, 가치 존중의 리더십이라 할 것입니다. 이것이 끝없는 고독과 단조로움 속에서도 서로의 가치를 인정하며 힘을 합쳐 어느 누구도 버려지지 않고 결국 생명을 지키고 인간의 존엄성을 지키는 아름다운 전통을 지키는 것이 되었습니다.

한 사람 한 사람이 가진 자질을 보라

존중이 왜 중요하냐면, 사람은 자신을 인정해 주는 사람을 위해 목숨을 바친다고 합니다. 보잘것없는 사람도 그 가치를 존중해 줄 때, 숨겨진 자질과 능력까지 드러나 공동체를 위해 그것을 십분 발휘하게 된다는 것입니다.

인내호가 떠다니는 빙산에 부딪혀 침몰하게 되어 탐험이 실패

에 이르렀다고 판단한 순간, 섀클턴은 이렇게 말했습니다

"이제 우리의 목표는 남극점이 아닙니다. 우리의 목표는 우리의 동료들과 무사히 집에 돌아가는 것입니다. 우리 모두가 무사히 돌아갈 때까지 저는 결코 이 원정을 멈추지 않을 것입니다."

그렇게 말하고 펭귄과 물고기를 잡아 먹으면서, 배에 있던 비상용 보트를 손질했습니다. 추위에 떨면서 다 헤어진 누더기만 걸친 채, 섀클턴과 일행들은 고래잡이 기지로 향했습니다. 비상용 보트가 2대는 망가지고 한 대만 남았을 때 마침내 그는 일부 일행과 함께 사우스조지 섬의 고래잡이 기지에 도착했습니다. 그러나 그는 다시 더 큰 배를 구해 엘리펀트 섬에 남아 있는 일행들을 데리러 갑니다.

"자, 나를 따라 엘리펀트 섬으로 다시 갈 구조대는 자원하십시오. 혹시라도 죽음이나 위험 때문에 겁나는 분들은 빠지셔도 됩니다."

이렇게 말했음에도 불구하고 대원 대부분이 섀클턴에게 말했습니다.

"당신의 목표가 곧 우리의 목표입니다. 우리가 이 탐험에 나서는 순간부터 우리는 모두 한 목숨입니다."

결국 모든 대원들은 섀클턴의 무한한 타인 존중의 리더십을 믿고 조난당한 나머지 대원들을 구하기 위해 다시 영하 60도의 남극 엘리펀트 섬으로 향합니다. 섀클턴은 한 사람 한 사람의 뛰어

난 자질을 다 파악하고 있었기에 그들의 능력을 믿고 헌신적이고 뛰어난 체력을 소유한 대원들과 함께 조난당한 동료의 구조를 목표로 삼아 다시 한 번 도전에 나서게 됩니다.

결국 조난당한 지 거의 2년 만에 새클턴은 그의 대원들을 모두 구조 하는 기적을 만들어냈습니다. 그들을 이끌고 무사 귀환하던 날 새클턴은 이렇게 말했습니다.

"단 한 사람도 생명을 잃지 않고 지옥에서 나왔습니다."

새클턴이 위대한 점은 그의 목표는 남극점 정복이었지만 그것이 아무리 위대한 목표라도 사람들을 살리는 것을 능가할 목표가 없다는 것을 보여 주었기 때문입니다. 그리고 리더란 사람들을 존중하고 사랑하는 것이 가장 큰 목표여야 한다는 것을 가르쳐 준 위대한 인물 중의 한 명으로 기록되고 있습니다.

문호 괴테는 다음과 같이 소중한 말로 우리를 일깨우고 있습니다.

"현재의 모습 그대로 친구를 대해 주면 그 친구는 현 상태 그대로 남아 있을 것이다. 하지만 친구가 잘할 수 있는 능력을 칭찬해 주면 그 친구는 그것을 이루어낼 것이다."

결론입니다

필자가 말한 '계획 없이 산다는 것'은 그저 편하게 지내며 즉흥적으로 산다는 것이 아닙니다. 나의 자아를 확대시키기 위한 계획을 내려놓고 주님이 일하시도록 내 삶의 결정권을 내어드리는 것입니다.

이때 나는 기다리며, 하나님의 계획을 신뢰하며, 하나님이 먼저 일하시도록 내 삶의 주도권을 맡겨드려야 합니다.

이것은 내 자아를 편하게 하도록 유혹하는 것들과 일치하지 않기 때문에 하나님의 도우심 아래 끊임없이 싸우며 이루어가야 할 일입니다.

하나님 아버지!
우리를 사랑하시고 한 사람 한 사람을 존중하여 주시니 감사합니다. 하나님의 사랑과 존중을 받은 만큼 저도 친구들을 존중하게 하여 주옵소서. 그리고 이웃들을 존중하게 하여 주옵소서. 항상 만나는 사람마다 존중하게 하여 주옵소서.
예수님의 이름으로 기도드립니다. 아멘.

존귀함을 받아요

To be honest

(말씀 _ 27)

본문 사 32:5-6

어리석은 자를 다시 존귀하다 부르지 아니하겠고 우둔한 자를 다시 존귀한 자라 말하지 아니하리니 이는 어리석은 자는 어리석은 것을 말하며 그 마음에 불의를 품어 간사를 행하며 패역한 말로 여호와를 거스르며 주린 자의 속을 비게 하며 목마른 자에게서 마실 것을 없어지게 함이며

외울 말씀

"어리석은 자를 다시 존귀하다 부르지 아니하겠고 우둔한 자를 다시 존귀한 자라 말하지 아니하리니."(사 32:5)

관련 동영상

땅콩

더 높은 가치를 추구하자

위대한 사람 조지 카버를 아는지 모르겠습니다. 20세기 중반 무렵에는 땅콩은 단지 어린이들의 군것질거리에 불과했습니다.

하지만 땅콩의 가치를 알아보고 솜이 나오는 목화 대신에 가는 곳마다 이렇게 외치는 사람이 있었습니다.

"목화솜보다 땅콩을 심으세요. 곧 땅콩이 황금을 낳는 콩이 될 겁니다."

"예끼 여보슈! 땅콩이 무슨 보물이라고 잘 자라고 있는 목화솜을 뽑아 버리고 땅콩을 심으라는거요?"

"목화는 땅의 영양분인 질소를 많이 소비하여 땅이 쇠하게 만들어요. 그러다 보니 충분한 열매를 후에 만들어내지 못합니다. 그러므로 몇 년간은 땅콩을 많이 심으세요. 그러면 공기 중의 질소가 땅으로 모입니다. 그러면 땅의 영양분이 풍족해집니다. 그러다가 땅이 기름지게 되면 다시 다른 것을 심어도 더욱 많은 열매를 맺습니다."

조지 커버의 끈질긴 설득 덕분인지 사람들은 하나 둘 목화를 심는 대신 그 자리에 땅콩을 심기 시작했습니다. 그렇게 몇 년이 지난 뒤 였습니다.

이번엔 다른 불평들이 여기저기서 나오기 시작했습니다.

"그런데! 땅콩이 너무 많이 생산되어 큰일이요."

아이들의 군것질거리로만 생각되는 땅콩을 엄청난 양이 추수되기 시작했습니다. 그러니 과연 그것으로 무엇을 하느냐가 큰 문제였습니다.

"걱정하지 마십시오. 땅콩은 그 요리법이 무궁무진합니다."

그래서 조지 카버는 그때부터 소비자들이 땅콩으로 할 수 있는 맛있는 요리를 개발하기 시작했습니다. 그렇게 실험에 실험을 거듭하여 105가지의 땅콩 요리법을 개발했습니다.

"자! 여러분 땅콩으로 못 만드는 게 없습니다. 국, 인조닭고기, 샐러드, 과자, 잼, 땅콩버거 등등 여러분들도 한 번 만들어 보세요."

하지만 이렇게 1년 동안 온갖 요리를 다해 먹어도 남는 것이 수백 근이 되었습니다. 따라서 다른 소비 방법을 연구해 내야 했

습니다.

그래서 조지 커버는 하나님께 기도하면서 질문을 했습니다.

"하나님, 무엇을 하시려고 이 땅에 땅콩을 만드셨습니까?"

그러자 하나님의 응답이 왔습니다.

"너는 왜 땅콩을 그렇게 심으려고 하느냐?"

"저는 사람들이 좀 더 잘 살았으면 좋겠고, 농촌을 떠나지 않아도 얼마든지 행복할 수 있다는 것을 깨닫게 해주고 싶었습니다."

"그래! 너도 나처럼 사람들을 존중하는구나. 내가 만든 것 중에 존귀하지 않은 것은 없단다. 그러니 너는 땅콩을 한줌 들고 실험실로 계속 들어가서 연구를 계속하거라! 그러면 네가 스스로 해답을 알게 될 것이다."

그래서 다시 땅콩을 가지고 실험을 시작했습니다. 이번에는 땅콩 우유를 만드는 비법을 발견하게 됩니다. 그것은 땅콩기름+물+소금+설탕을 합하여 우유와 동일한 맛을 낼 수 있게 만든 것입니다.

"하나님! 땅콩으로 밀크도 만들 수 있네요. 감사합니다. 그 다음엔 무엇을 만들 수 있을까요?"

"이 세상에서 이유 없이 존재하게 한 것은 아무것도 없단다. 그러니 조금만 더 연구해 보렴. 그러면 그것들이 너에게 대답을 해 줄 거야!"

"네! 알겠습니다."

그리하여 연구에 연구를 거듭한 끝에 다음은 땅콩을 분석하여 기름, 고무 성분, 당분, 전분으로 분해하게 됩니다. 그리고 단백질, 아미노산 등을 분석하여 온도와 압력으로 변화시켜 재합성하여 사탕, 땅콩버터, 인조밀가루, 잉크, 물감뿐만 아니라 30여 가지 색을 채취하여 물감의 원료까지 만들었습니다. 또 땅콩껍질로는 전기 절연판, 땔감, 접착제, 인조대리석 따위를 만들어냈습니다. 정말 놀라운 일이 아닐 수 없었습니다.

목적이 분명하면 답은 있다

조지 커버는 정말 일평생 사람들에게 무엇인가 도움을 주기 위해 최선을 다하며 살았습니다. 그렇게 일평생을 땅콩만 연구하였습니다. 그리하여 땅콩으로 만든 제품만 300가지 이상이 되었습니다. 그다음 땅콩에 초콜릿을 입히는 방법을 발견하였습니다. 그러자 날개 돋힌 듯 팔리게 되었습니다. 결국 나중에 사람을 존중하는 땅콩왕이라는 명성과 함께 많은 부도 얻게 되었습니다. 시장에서 소비자에게 봉사하며 살아가는 기업가의 모범이 아닐 수 없었습니다.

이러한 공로로 인해 죠지 커버 박사는 말년에 의회에서 강연하는 기회를 가지게 되었습니다.

그때 한 의원이 죠지 커브 박사에게 질문했습니다.

Q : 땅콩으로 아주 맛있는 인조고기를 만들었는데, 축산업자를 망칠 셈입니까?

A : 아니오. 땅콩은 고기를 먹지 않아야 할 사람이 언제나 마음 놓고 먹을 수 있는 고기입니다.

Q : 300가지가 넘는 제품을 만드셨는데, 어떤 책에서 배웠나요?

A : 그것은 성경책입니다. 하나님은 성경에서 다 이용할 수 있는 만물을 우리에게 주셨다고 기록되어 있습니다. 창세기 1장에 "내가 지면에 열매 맺는 모든 풀과 씨를 가진 모든 열매 맺는 나무를 너희에게 주었고, 그것을 너희의 음식물이 되게 하라!"라고 기록되어 있었습니다. 그래서 저는 말씀을 따라 그것을 연구했고, 그리고 비밀을 발견한 것입니다.

커버가 별세한 1주일 후에 콩고에 가서 사역하던 한 선교사가 편지를 보냈습니다.

"저는 땅콩으로 우유를 만드는 법을 25년간 사용하였습니다. 그 덕택에 수백 명의 어린아이들을 구해낼 수 있었습니다. 아프리카의 어떤 곳은 가축을 기르기 어려운 지역입니다. 하지만 땅콩을 재배하여 땅콩에서 젖을 내는 방법으로 갓난아기들을 살려냈습니다."

남을 사랑하기 위해 고민하면 우리에겐 보이지 않지만 하나님의 손길이 도우시고 천사들이 돕습니다. 어느 길로 가야 할지 고민되고 선택이 어려울 땐 조망하는 눈을 가지면 답이 보입니다. 조망하는 눈이란 좀 멀리 떨어져서 생각하는 방법을 말합니다. 우리 눈은 너무 가까이서 근시안적으로 보면 오히려 큰 것을 놓쳐버리기 쉽습니다.

존중하는 습관을 길러라

독일 함부르크의 어느 호텔에서 새로 채용된 접객 주임이 직원들에게 열심히 청소를 시키고 있는데, 초라한 옷차림의 어떤 남자 노인이 고급 벤치에 앉아서 담배를 피고 있는 것이 보였습니다. 그러자 접객 주임은 그런 누추한 사람 때문에 고급 호텔의 분위기가 깨어질까 싶어 그 남자 노인에게 '남의 눈에 띄지 않게 이곳을 떠나십시오.'라고 쓴 쪽지를 전달했습니다. 그 남자 노인은 아무 소리 않고 떠났습니다.

그런데 보십시오. 며칠 후에 그 접객 주임에게 쪽지 하나가 전달되었는데, 거기에는 '미안하지만 남의 귀에 소문나지 않게 오늘 즉시 이 호텔에서 나가 주십시오. 남루한 옷차림의 주인공'이라고 기록되어 있었습니다. 그때 초라한 옷을 입고 있던 사람이 바로 이 호텔의 주인인 스티너스였습니다. 그는 큰 회사를 12개나 가지고 있으면서 이 호텔을 부업으로 운영하던 굴지의 대재벌이었습니다. 그리하여 사람을 외모로 보고 박대하던 접객 주임은 그날로 해고당하고 말았습니다.

결론입니다

우리나라에 세워진 최초의 국가인 단군조선의 국시(國是 ; 한 나라의 이념)가 뭐였는지 아시나요? 모두 홍익인간(弘益人間)이었음을 알고 있을 겁니다. 단군이 세운 조선이라는 나라는 "사람을 널리 이롭게 하는 것"을 삶의 이상이라고 가르친 지구 역사상 유일의 나라입니다. 단군조선은 그 이상으로 자그마치 4000여 년간 이어져온 국가였습니다. 이 홍익인간의 정신은 동서고금을 막론하고 적용되어야 할 중요한 이상(理想)이고, 남에게 좋은 것들(goods, 재화)을 제공해주고 좋은 일들(services, 용역)하는 사람이 돈을 버는 자유시장경제야말로 그것을 가장 잘 구현하고 있습니다.

"사람들은 나의 옷 입은 모습을 보고 비웃었지만, 그것이 바로 내 성공의 비결이었다. 나는 그 누구와도 달랐다."

이 말을 한 사람이 누군지 아십니까? 세계에서 처음으로 명품을 탄생시킨 코코 샤넬이란 여자입니다. 샤넬은 세계 여성들이 갖고 싶어하는 향수, 샤넬 No.5로 세계 최고가 됐고, 일하는 여성을 위한 정장, 발꿈치가 드러나는 구두, 체인 끈이 달린 핸드백 등 독특한 디자인을 처음으로 소개했습니다. 그뿐만 아니라 사람들이 명품이라고 말하는 '샤넬' 브랜드를 전 세계에 퍼뜨린 사람입니다.

그런 샤넬이 또 이런 말을 했습니다.

"가장 아름다운 옷차림은 남과 다른 옷차림이다."

다시 말해 나에게 맞도록 개성 있게 옷을 입었다면 명품을 입은 거나 마찬가지란 뜻입니다. 비싸기 때문에 명품이 아니라, 남다르지만 다른 것과 조화를 이루는 멋진 옷차림이기 때문에 명품이란 겁니다.

사랑하는 여러분!

오늘 친구 혹은 옆에 있는 사람이 여러분한테 한 말 때문에 마음이 많이 상했을 수도 있습니다. 사람은 살다 보면 가끔씩 다른 사람의 말에 상처를 받기도 합니다. 하지만 그 말에 너무 실망하지 않았으면 좋겠습니다.

사랑하는 여러분!

이 세상에서 나보다 남을 존중하고 사랑하며 살기로 마음을 먹는 사람에게는 역경은 있지만 반드시 아름다운 열매가 맺힌답니다.

예수님은 이렇게 말씀하셨습니다.

"남에게 대접받고자 하는 대로 너희도 남을 대접하라."(눅 6:31)

주님은 "너희가 만일 너희를 사랑하는 자만을 사랑하면 칭찬받을 것이 무엇이냐 죄인들도 사랑하는 자는 사랑하느니라 너희가 만일 선대하는 자만을 선대하면 칭찬받을 것이 무엇이냐 죄인들도 그렇게 하느니라"(눅 6:32-33)고 하시면서 나를 존중하지 않고 미워하는 사람일지라도 존중하고 대접하라고 우리에게 말씀하셨습니다.

그러므로 우리는 남을 존중해야 한다는 가치관을 마음에 새기고 또 진심으로 실천하여 나의 성품이 되기까지 노력하고 노력해야 할 것입니다.

하나님 아버지!

우리를 먼저 사랑하시고 존중하여 주셔서 감사합니다. 우리를 사랑하시기에 예수님의 존귀한 몸을 우리 대신 십자가에 제물로 드려지게 하심을 감사합니다. 하나님의 사랑과 존중함을 입은 저희들도 살아가면서 당연히 존중할 것을 존중하며 또 나를 미워하고 따돌리는 친구라고 해도 나는 하나님을 믿으며 존중할 수 있는 가치관과 성품을 주옵소서. 힘들어도 늘 실천하고 노력하는 제가 되기를 원합니다.

예수님의 이름으로 기도드립니다. 아멘!

이끌지 말고 따르게 하라

Do not let follow lead

(말씀 _ 28)

본문 딤전 4:11-16

너는 이것들을 명하고 가르치라 누구든지 네 연소함을 업신여기지 못하게 하고 오직 말과 행실과 사랑과 믿음과 정절에 있어서 믿는 자에게 본이 되어 내가 이를 때까지 읽는 것과 권하는 것과 가르치는 것에 전념하라 네 속에 있는 은사 곧 장로의 회에서 안수 받을 때에 예언을 통하여 받은 것을 가볍게 여기지 말며 이 모든 일에 전심 전력하여 너의 성숙함을 모든 사람에게 나타나게 하라 네가 네 자신과 가르침을 살펴 이 일을 계속하라 이것을 행함으로 네 자신과 네게 듣는 자를 구원하리라.

외울 말씀

"누구든지 네 연소함을 업신여기지 못하게 하고 오직 말과 행실과 사랑과 믿음과 정절에 있어서 믿는 자에게 본이 되어 내가 이를 때까지 읽는 것과 권하는 것과 가르치는 것에 전념하라."(딤전 4:12,13)

관련 동영상

6일전쟁의 기적

이스라엘 탄생의 기적

전쟁에서 이긴 이유

이집트와 이스라엘은 그 역사적인 배경 때문에 자주 전쟁을 벌였습니다. 그중 1967년 6월에 일어난 6일 전쟁은 전쟁의 역사에서 많은 의미를 지니고 있습니다. 전쟁이 일어나자 많은 사람들은 전반적인 전력 면에서 이집트가 월등하게 뛰어나기 때문에 이스라엘은 오래가지 못해 패전하리라고 생각했었습니다.

그러나 이스라엘은 6일 만에 전쟁을 승리로 이끌고 많은 영토를 차지했습니다. 무엇보다도 이 전쟁에서 사람들의 주목을 끈 것은 다름 아닌 불에 타 죽은 전사들이었습니다. 짧은 기간의 전쟁이긴 했지만 그만큼 격렬했고, 따라서 목숨을 잃은 군인의 수효도 엄청나게 많았습니다.

전쟁이 끝난 후 나타난 놀라운 사실 중의 하나는 이집트 군인의 사상자는 대부분 사병이었던 반면에 이스라엘군의 사상자는

거의 장교였다는 것이 다릅니다. 장교들이라고 어찌 죽음이 두렵지 않았겠습니까? 하지만 이스라엘 장교들은 전장의 최일선에 앞장 서서 적과 죽음에 맞서 싸웠습니다. 이에 반해 이집트의 장교들은 싸움이 벌어진 후에 뒤에서 '잘 싸우라'고 지시만 하고 있었던 것입니다.

떠나는 자와 돌아오는 자

지금도 미국 공항에서 가끔 볼 수 있는 장면이 있습니다. 이스라엘에 전쟁이 일어나 위급 상황이 되면 미국의 각 공항은 이스라엘로 가는 유대인들을 심심찮게 볼 수 있습니다. 전 세계의 모든 유대인들은 병역 의무를 지는데, 병역 의무를 마쳐도 전쟁이 나면 예비군이 되어 자신들의 조국을 구하러 달려갑니다. 이들 예비군들 중에는 유명한 영화배우, 가수, 심지어는 영화감독도 있습니다.

이와는 반대로 중동에 전쟁이 일어나면 미국의 각 공항에는 또 다른 풍경이 펼쳐지기도 합니다. 그것은 중동의 각지에서 미국으로 도망나오는 젊은이들입니다. 전쟁에 끌려 나갈까 싶어 아랍의 부자집 자녀들은 대부분 해외로 도피합니다.

이런 상황이라면 전쟁은 누가 이길까요? 자기 조국을 지키겠다고 하던 일을 멈추고 한 시간이라도 빨리 가려고 하는 나라가 이기지 않을까요? 가정이나 나라 그리고 사회나 직장도 이렇게 자신을 희생시켜 솔선수범하는 사람들이 많아야 공동체는 제대로 유지되는 것입니다.

솔선수범

우리는 '솔선수범'이라는 말을 자주 사용합니다. 이 '솔선수범'은 "남보다 앞장 서서 모범을 보인다"는 뜻입니다. 이것은 책임감과 연결됩니다. 내가 맡은 일을 하지 않으면 다른 사람이 힘들다는 것을 알고, 짐을 질 때 공평하게 나누어지든지 아니면 내가 좀 더 많이 지겠다는 생각을 가져야 친구들이 따르게 됩니다. 프레데릭 대왕이 포츠담형무소를 시찰했을 때였습니다.

죄수들은 왕을 보자 저마다 모함에 걸렸다고 말합니다.

"폐하, 저는 경찰의 잘못으로 억울하게 옥살이를 하고 있습니다."

"저는 무고합니다. 살려주십시오."

그렇게 모두 억울함을 호소했습니다. 그런데 유독 한 죄수만이 머리를 내밀더니 딴소리를 하는 것이었습니다.

"폐하, 신은 죄지은 몸이라 마땅히 이런 벌을 받아야 하옵나이다."

그러자 대왕이 이렇게 말했습니다.

"이 자를 방면(풀어 줌)하여 이 안에 갇힌 고귀하고 무고한 사람들에게 나쁜 물이 드는 일이 없도록 하렸다."

자신의 부족함을 솔직히 인정하는 사람이 되기 바랍니다. 책임을 지는 사람만이 다시 실패의 길로 들어가지 않기 때문입니다. 높은 지위에 있는 사람이나 아래에 있는 사람들도 책임지는 사람을 신뢰하고 일을 맡기게 됩니다.

등애의 검각산 지나기

눈앞에 닥친 고통을 참고 이겨냈기 때문에 역사는 계속될 수 있습니다. 여러분들도 알고 있는 《삼국지》에 이런 이야기도 나옵니다.

위나라 장군 등애가 촉나라와 전투를 하러 가고 있었습니다. 촉나라의 수도인 성도로 들어가려면 검각이라는 산을 지나야만

합니다. 검각이란 칼끝같이 뾰족뾰족한 봉우리와 밑이 안 보이는 골짜기로 이루어진 험하디 험한 협곡을 일컫는 말입니다. 병사들은 이곳을 넘어 가기가 무서워 낭떠러지 아래를 보면서 한숨만 쉬고 있었습니다.

이때 70살이 넘은 등애는 앞으로 나서서 담요 한 장을 몸에 두르고 "내가 먼저 가겠다!"는 외침과 함께 돌덩이처럼 데굴데굴 굴렀습니다. 대장이 이렇게 앞장을 서니 부하들은 따라할 수밖에 없었습니다.

담요가 있는 병사는 그것을 감고 구르고, 밧줄이 있는 병사는 밧줄에 몸을 매어 절벽 아래로 흔들흔들 내려갔습니다. 드디어 이 군대는 하늘에 닿기보다 더 어렵다는 검각을 넘고 검각산의 강유관을 지키던 촉나라 군대는 깜짝 놀라 항복을 하고 말았습니다.

대장이었던 등애라고 낭떠러지가 안 무서웠을까요? 담요를 두르고 한 발짝 씩 나섰을 때에 구름이 아른거리는 골짜기 아래를 보고 현기증이 일어났을 겁니다. 그러나 그는 주저하지 않고 굴러 내려갔습니다. 내가 주저해서야 많은 병사들의 마음을 어떻게 움직일 수 있겠습니까?

결론입니다

이처럼 어떤 목표를 이루기 위해서는 내가 먼저 하지 않으면 안 될 때가 있습니다. 우리는 그것을 솔선수범이라고 이야기합니다. 주님은 성경에서 이렇게 말씀합니다.

"누구든지 네 연소함을 업신여기지 못하게 하고 오직 말과 행실과 사랑과 믿음과 정절에 있어서 믿는 자에게 본이 되어 내가 이를 때까지 읽는 것과 권하는 것과 가르치는 것에 전념하라."(딤전 4:12,13)

여기선 솔선수범이란 본이 되는 것이라고 했습니다. '본(本)이 되어라'는 것이지요. 본이 뭘까요? 크리스천들은 하나님의 자녀라는 표(票)를 받은 사람들입니다. 왜냐하면 우리는 우리 스스로가 하나님의 자녀가 되었다고 믿고 있고, 또 주장하기 때문입니다. 사람들은 하나님의 자녀는 어떤 사람인가 궁금해 합니다. 그러면서 우리를 지켜보고 있습니다. 우리가 하나님의 자녀라고 하면서 스트레스를 받으면 어떻게 반응하는지? 삶에 어려움이 닥쳤을 때 어떻게 행동하는지? 아무런 해결책이 없는 상황에서 어떻게 하는지? 직장이나 학교에서나 이웃 사람들이 우리를 지켜보고 있습니다.

그들이 우리를 지켜보는 이유는 많은 사람들은 문제들을 가지고 있는데, 문제를 가진 그들은 그 문제들에 대한 해답이 없기 때문에 우리에게서 그 해답을 원하기 때문입니다. 우리가 원하든 원하지 않든, 주위에 있는 사람들에게 믿는 자로서 본을 보여야 할 이유가 여기에 있습니다. 사람들은 우리를 지켜봅니다. 그래서 솔선수범해야 하는 것입니다.

어떤 아버지가 중학생인 아들이 담배를 피우는 것을 보고 큰 충격을 받았습니다. 그러나 아버지는 걱정스런 눈길만 보낼 뿐 아들에게 아무말도 하지 않았습니다.

한 달이 지난 어느 날 아버지는 아들을 불러 담배를 끊으라고 타일렀습니다. 아들은 왜 아버지가 그때 바로 얘기하지 않고 한 달이 지난 다음 얘기했는지 궁금해 그 이유를 물었습니다.

아버지는 이렇게 대답했습니다.

“네가 알다시피 나도 담배를 즐겨 피웠단다. 그런데 어떻게 너만 담배를 끊으라고 할 수 있겠니? 내가 먼저 담배를 끊는 것을 네게 보여주고 싶었다. 처음에는 힘들었지만 한 달이 지난 지금은 완전히 담배를 끊었단다. 그래서 이제 너에게 이렇게 떳떳이 이야기하는 것이란다.”

하나님 아버지!
사람들 앞에 우리가 살아계신 하나님의 자녀라는 표를 주심을 감사합니다. 이 표를 가졌기에 사람들은 우리를 늘 주시합니다. 우리를 지켜 볼 그 사람들에게 늘 솔선수범하는 하나님의 사랑받는 자녀들이 되게 하여 주옵소서. 또 남이 보든 보지 않든 어디서든지 솔선수범하는 인물이 되게 하여 주옵소서.
예수님의 이름으로 기도드립니다. 아멘!

아무도 하지 않을 때라도

Even when nobody is doing

(말씀 _ 29)

| 본문 눅 6:31-33 |

남에게 대접을 받고자 하는 대로 너희도 남을 대접하라 너희가 만일 너희를 사랑하는 자만을 사랑하면 칭찬받을 것이 무엇이냐 죄인들도 사랑하는 자는 사랑하느니라 너희가 만일 선대하는 자만을 선대하면 칭찬받을 것이 무엇이냐 죄인들도 이렇게 하느니라.

외울 말씀

"남에게 대접을 받고자 하는 대로 너희도 남을 대접하라."(눅 6:31)

관련 동영상

레이첼 카슨

내가 먼저

레이첼 카슨이라는 환경 보호가가 있었습니다. 카슨은 《침묵의 봄》이란 책을 썼기 때문에 더 유명합니다. 카슨은 그 책에서 2차 세계대전 후에 미국이 처한 환경오염의 위험을 경고하였습니다. 특히 도시 한가운데 대량으로 살포된 화학 살충제흔히 DDT라고 함의 독성 물질이 결국은 사람을 죽인다고 폭로하였습니다. 그리고 이의 사용을 금지하려는 법을 만들기 위해 온몸으로 노력했습니다.

얼마 전 우리나라에서도 가습기 살균제에 들어 있는 독성 물질로 인해 많은 사람들이 원인도 모른 채 죽어 갔습니다. 이런 위험한 일이 일어날 때, 손해를 무릅쓰고라도 다른 사람들을 위해 솔선해서 대신 싸울 수 있을까요?

《침묵의 봄》은 출간과 더불어 엄청난 사회적 반향(메아리를 일으키듯 어떤 일이나 사건이 영향을 미침)을 일으켰고, 베스트셀러 1위 자리를 차지했습니다. 그뿐 아니라 카슨은 그 공로로 "슈바이처 메달"을 비롯한 8개의 상을 받았습니다. 카슨은 당시에는 생소했던 '자연보호'를 솔선하여 주장하였습니다. 하지만 대부분의 사람들은 별로 반응을 보이지 않았습니다. 그래서 더욱 큰 소리로 외쳤습니다.

"여러분! 자연을 지탱하는 순환의 고리는 '생태계'입니다. 이것을 보호하지 않으면 앞으로 새도 지저귀지 않고, 야생동물들의 소리도 들려오지 않을 겁니다. 결국은 자연에서 살고 있는 아름다운 생물들이 어떤 소리도 내지 않는 '침묵의 봄'을 맞이하게 됩니다. 여러분이 침묵하면 안 되는 이유입니다."

핍박을 받아도

카슨은 환경 운동가이자 독창적이고 시적인 언어로 자연의 아름다움을 노래한 과학자였습니다. 그리고 무엇보다 솔선수범이 무엇인가를 보여준 여성 지도자였습니다.

'솔선수범'이란 아무도 관심을 가지지 않아도, 때론 핍박을 받아도 앞장 서서 일하는 중요한 가치입니다. 스스로 생각하기를 인류를 위해, 이웃을 위해 중요한 일이라는 생각이 든다면 자신의 일을 뒤로 하고 라도 앞장 서서 일하는 사람입니다.

카슨이 지은 시를 한 번 봅시다.

자연을 지켜내자

그처럼 즐겁게 재잘거리며 날던 새들은 다 어디로 갔는가?
봄은 왔는데 침묵만이 감돌았네
나비가 엉겅퀴 솜털에 내려 앉았네
여름날을 위해 내게 그대의 날개를 빌려 주오.
(…)
내가 그대처럼 하늘하늘한 겉옷을 걸치고
연보랏빛 꽃잎에 얹혀 있을 수 있다면 좋겠네.

생명이 죽어가는 '침묵의 봄'. 자연은 소름이 끼칠 정도로 이상하리만큼 조용했습니다. 레이첼 카슨이 쓴 《침묵의 봄》의 1장 '내일을 위한 우화'에 나오는 내용 중 일부입니다.

그녀의 글을 잘 읽어보면 봄이 되었습니다. 가축들은 이름 모를 병으로 죽어갑니다. 거기에다 사람들도 시름시름 앓고 있습니다. 숲속의 새들은 모두 죽어가고 아무런 소리도 들려 오지 않는 정적만이 감도는 봄날입니다. 이 침묵의 봄은 며칠 전에 뿌린 살충제 때문입니다. 약동하는 봄이 왔지만 살아 있는 생명체들이 모두 죽어가는 침묵의 봄이 너무나도 가슴 아팠습니다.

레이첼 카슨은 살충제, 그리고 자연에 대한 무절제한 정복욕으로 일어난 무서운 결과에 대해 과학적 근거와 통계수치, 실제 사례들을 모두 종합하여 낱낱이 밝혀 놓았습니다.

그때가 1962년의 일이었습니다. 더 많은 농작물을 얻기 위해 뿌린 살충제는 벌레를 잡지 못하고 오히려 벌레들의 천적인 새들만 죽였던 것입니다. 벌레들은 오히려 살충제에 내성이 생겨 매번 더 독한 살충제가 아니면 안 되었습니다. 그런 중에 가축들이 죽어갔고 산과 들, 냇물이 오염되었습니다.

문제는 동물들에게만 그치지 않고 인간 또한 이런 살충제의 독성 때문에 병들어 갔습니다. 갓난아이가 이유도 없이 죽어가고 어른들은 시름시름 앓게 시작했습니다. 여태껏 당연한 듯이 뿌려왔던 살충제는 벌레를 잡는 것이 아니라 되돌아 인간을 겨냥하고 있었던 것입니다.

솔선하면 결과가 달라져요

레이첼 카슨이 쓴 이 책을 읽은 일부 사람들은 경악했습니다. 이 한 권의 책으로 세계 곳곳에서는 환경에 대한 새로운 운동이 일어나기 시작했기 때문입니다. 어느 누구도 살충제의 위험성에 대해 고발하려고 하지 않았던 시절이었습니다. 그런데 작가이자 평범한 주부였던 카슨은 그 위험성을 알리는 것만이 인류를 위하는 길이요, 진정으로 자연을 위하는 길임을 믿고 위험을 무릅쓰고 솔선수범해서 이 거대한 힘들과 싸우기 시작했습니다.

그렇다고 카슨이 처음부터 솔선수범의 용기 있는 여자는 아니었습니다. 카슨은 1907년 미국 펜실베이니아 주 스프링데일에서 태어났습니다. 환경과 인간의 어울림을 중시하는 어머니의 영향을 받아 어린 시절부터 자연을 벗삼아 자랐습니다. 어려서부터 글쓰기 재능을 인정받았던 카슨은 작가가 되고 싶어했습니다. 하지만 대학에서 만난 생물학자 메리 스콧 스킨커의 영향으로 전공을 생물학으로 바꾸었습니다. 우등생으로 대학을 졸업하였고, 대학원에도 장학생으로 입학하였습니다. 하지만 경제적 어려움 때문에 박사 과정을 중퇴하고 수생생물학자로 일하고 있었습니다.

당시 카슨은 유방암으로 몸이 많이 아팠습니다. 괴롭히는 것은 유방암만이 아니었습니다. "봄이 와도 새가 울지 않고, 알을 낳아도 부화시키지 못하는" 현실 앞에서도 부끄럽고 용기가 부족해 많이 망설였던 사람입니다. 하지만 과학 기술의 발달이 인간의 삶을 무조건 풍요롭게 하지 않는다는 사실을 알게 된 그녀는 싸우기로 결심하고, 혼자만의 고독한 싸움을 합니다. 누구나 처음부터 강하거나 솔선수범할 수 있는 것은 아닙니다. 하지만 꼭 해야 할 중요한 일이라면 용기를 내어서 솔선수범해야 합니다.

마침내 1963년 케네디 대통령은 환경 문제를 다룰 자문위원회를 구성하였고, 1969년 미국 의회는 국가환경정책법안을 통과시켰습니다. 암연구소는 당시 살충제로 크게 각광받던 DDT가 암을 유발할 수도 있다는 증거들을 발표하였습니다. 미국 내 각 주들은 DDT 사용을 금지하기 시작했고, 《침묵의 봄》을 읽은 한 상원의원이 케네디 대통령에게 자연 보호 전국 순례를 건의한 것이 계기가 되어 '지구의 날'이 제정되었습니다. 지금도 '지구의 날'은 우리나라를 포함해 전 세계적으로 기념하고 있습니다.

그러나 지금은 그 반대 측면도 이야기되고 있습니다. 무분별하

고 조급한 DDT 사용 금지로 인하여 오히려 전 세계의 많은 사람들이 말라리아와 각종 질병으로 사망하는 역효과가 일어나고 있습니다. 또 DDT와 암 발병과의 연관성도 그리 신뢰성이 있는 것으로 여겨지지 않고 있습니다. 농약 계란의 경우 엄청난 사회적 반향을 불러일으켰지만, 하루에 20개씩 10년을 먹어야 암이 걸릴 가능성이 있다는 것이 과학적 진실이었듯이 말입니다. 그래서 지금은 WHO가 공식적으로 일정 조건 위에서 DDT 사용을 인정하고 있을 정도입니다.

결론입니다

"내가 먼저 이 일을 해야지!"

이러한 마음과 행동이 솔선수범의 자세입니다. 만약 홍수에 둑이 무너져 내리는 것을 알고도 침묵하고 있는 사람이 있다면, 그가 직접 살인한 것은 아니지만 간접적인 살인을 한 것은 맞습니다. 마찬가지로 모두에게 위험이 올 것을 알고도 침묵하거나, 모든 사람에게 유익한데 알려주지 않는 것도 중대한 범죄입니다. 때로는 사람이 알아주지 않아도, 칭찬대신 멸시나 조롱을 받더라도 하나님의 뜻을 생각하며 그것을 실천하면 반드시 승리와 영광이 있을 겁니다.

하나님 아버지!

우리는 솔선수범하기에 너무나도 용기가 부족합니다. 많은 사람들이 책임을 미루고, 나보다 남들이 힘든 일을 하기를 바라고 우리 자신은 책임지지 않으려고 합니다. 저희로 비록 힘들고 어렵고 핍박을 받을지라도 하나님의 뜻이며, 하나님이 원하시는 가치라면 솔선수범하여 이룰 수 있는 믿음과 용기를 주시기를 간절히 기도합니다.

예수님의 이름으로 기도합니다. 아멘!

사랑하기 때문에

Because I love you

(말씀 _ 30)

| 본문 딛 2:7-10 |

범사에 네 자신이 선한 일의 본을 보이며 교훈에 부패하지 아니함과 단정함과 책망할 것이 없는 바른 말을 하게 하라 이는 대적하는 자로 하여금 부끄러워 우리를 악하다 할 것이 없게 하려 함이라 종들은 자기 상전들에게 범사에 순종하여 기쁘게 하고 거슬러 말하지 말며 훔치지 말고 오히려 모든 참된 신실성을 나타내게 하라 이는 범사에 우리 구주 하나님의 교훈을 빛나게 하려 함이라.

외울 말씀

"범사에 네 자신이 선한 일의 본을 보이며 교훈에 부패하지 아니함과 단정함과" (딛 2:7)

관련 동영상

그룬트비 목사

솔선수범의 예

10월 14일, 1890년

아이젠하워, 미국의 군인·정치가

제2차 세계대전에서 나치를 멸망시키는 데 주도적인 역할을 했다.

미국의 34대 대통령 아이젠하워는 뛰어난 통솔력을 발휘했던 인물이었습니다. 또 그는 솔선수범한 지도자였습니다. 기자들이 그에게 통솔력의 비결을 물었을 때 그는 말없이 책상 위에 50cm 되는 실을 늘어놓고 뒤에서 밀어 보라고 했습니다. 기자들이 그대로 했지만 실은 꼬부라지기만 할 뿐 앞으로 나아가지 못했습니다.

그러자 아이젠하워는 앞에서 실을 끌어 당겼고 실은 곧게 끌렸습니다. 이때 그는 말했습니다.

"앞에서 솔선수범하는 것이 통솔력의 비결입니다. 짐승은 뒤에서 몰아야 하지만, 사람은 앞에서 인도해야 합니다."

자유학교의 선구자 그룬트비

니콜레이 그룬트비

크리스텐 콜

덴마크는 세계에서 가장 교육을 잘 시키는 나라 중의 하나입니다. 그렇게 된 배경에는 니콜레이 그룬트비(1783~1872) 목사님과 크리스텐 콜(1816~1870)이라는 사상가가 있었기 때문입니다. 특히 그룬트비 목사님의 기독교 사상과 그 활동은 덴마크 국민의 삶과 문화를 바꾸어 놓았습니다.

그룬트비 목사님의 사상이 집약된 운동이 자유와 자유교육입니다. 자유와 자유교육의 정신이 '자유학교법'이라는 교육법을 만들었습니다.

그분은 이렇게 말했습니다.

"인간에겐 하나님이 각자에게 주신 각각의 고유한 권한과 특징이 있습니다. 그래서 우리는 다른 사람에게 나아가기 전에 정직하게 자기 자신에게 나아가야 합니다. 즉 개인은 우리라는 전체에 대해 말하기 전에, 나에 대해 말할 수 있어야 합니다. 그래서 자신을 하나의 인격으로 흥미롭게 발견하는 일이 전적으로 필요합니다. 그렇다고 해서 자신만이 유일하게 흥미로운 존재라고 여겨서는 안 됩니다. 왜냐하면 모든 사람이 다 그렇게 흥미로운 존재이기 때문입니다. 마찬가지로 중요한 것은 '자기 자신이 된다'함은 자기 자신만으로는 충분치 않다는 사실을 아는 것입니다."

자유대학과 자유학교를 세우라

그룬트비 목사님은 개개인의 개성과 자기 발전을 위해 국민들이 가장 먼저 해야 할 일을 '시민대학'이라는 자유로운 대학을 만들어 그 학교에서 토론하며 연구하고 또 즐기면서, 정치적인 의견을 자유롭게 발표하는 능력을 키우는 일이라고 하였습니다. 토론을 하려면 그만큼의 독서를 해야 했는데, 그룬트비 목사님은 그러한 독서를 자유 토론이라는 방법으로 장려하였습니다.

토론을 장려하자 어른들의 생각이 자랐습니다. 그러자 어떤 어른이 말했습니다.

"우리들이 하는 이 토론을 아이들이 공부하는 학교에서 하게 하자!"

이것이 발전하여 결국 자유학교가 탄생하게 되었습니다. 즉 강의와 시험이 능사가 아니라 자유로운 담화가 있어야 한다는 생각이 국민들의 마음에 보편적으로 생기기 시작한 것입니다.

그렇게 하자 주입식 교육을 하는 학교가 마음에 들지 않은 학부모들은 스스로 학교를 세워나가기 시작했습니다. 어떤 학부모는 시민 자유대학에서 배운 것을 토대로 아이들을 학교에 보내는 대신 집에서 가르치기로 했습니다. 만일 스스로 할 수 없으면 다른 부모들과 힘을 합쳐서 가르쳤습니다.

이렇게 하기 시작하자 덴마크는 공립 학교 제도를 유지하면서 학부모들이 스스로 학교를 세우고 싶어할 때, 30명 이상의 학생들이 모이면 학교로 인정하고 다양한 교수 방법으로 가르치는 것을 보장하는 자유학교법을 만들어 160년간 시행했습니다. 그 결과 덴마크는 세계에서 다섯 손가락 안에 꼽힐 정도의 부강한 나라가 되었습니다. 그리고 행복지수가 가장 높은 나라들 중의 하나로 꼽힙니다.

학교의 주인은 부모다

그룬트비 목사님이 시작한 자유학교 운동으로 덴마크는 '교육의 주체는 국가가 아니라 부모이자 시민'이라는 보편적 생각이 국민들의 마음속에 자리잡게 되었습니다.

때문에 덴마크 사회는 시험 점수로 진단하는 평가는 별로 신뢰하지 않습니다. 따라서 아이들이 시험 때문에 시달리는 경우는 거의 없습니다.

학교에서 가르치는 선생님 중의 한 분이 이런 말을 했습니다.

"덴마크 사람들은 평등이란 말을 아주 소중하게 생각하죠. 우리는 무언가를 판단하고 실천할 때 이 단어를 잊지 않고 떠올리죠. 인간을 서열화하는 시험에 흥미를 갖는 사람도 별로 없을 뿐더러 아예 실시하지도 않아요. 무엇보다 덴마크 사람들은 순서 따위는 믿지 않습니다. 영국같이 일류, 이류로 학교를 나누고 서열을 매기는 일은 우리 사회에서는 찾아볼 수 없어요."

자유중등학교를 마치기까지 한 번도 시험을 보지 않은 학생도 적지 않다고 합니다. 이러한 일이 가능한 것은 모든 것을 사랑의 관점에서 방침을 정하고 제도를 만들었기 때문입니다. 솔선수범하는 가치의 가장 중요한 바탕은 사랑이라는 것을 가르쳐주는 말입니다.

"어떤 교육과정을 만들든 자유다. 교과서는 무엇을 사용해도 좋다. 시험을 보든 보지 않든 그것도 자유다."

이렇게 자유로운 교육을 실시해도 학생들의 실력이 떨어지지 않는 이유는 개개인의 개성과 창의성을 최대한 이끌어주기 때문입니다.

국가에서 정해준 교과서가 아닌 교과 담당 선생님이 선택한 교재를 가지고 공부합니다. 교사는 자신이 가르치고자 하는 것이 있으면 원하는 책을 가지고 가르치면 됩니다. 자유학교의 특징은 뭐니뭐니 해도 이야기로 수업을 진행한다는 것입니다.

결론입니다

솔선수범해야 하는 이유는 나 자신의 진정성을 보여주거나 자랑하기 위해서가 아닙니다. 나 자신을 사랑해야 하지만, 우리라는 공동체를 유지하기 위해서는 누군가는 희생해야 하고, 희생할 때 또 같이할 수 있는 마음과 행동이 필요합니다.

그룬트비 목사님은 작은 교회를 위한 일보다는 나라라는 큰 공동체를 위해 기꺼이 자신의 길을 포기하고 더 큰 일을 위해서 솔선수범했습니다. 우리 또한 대의를 위해 더 큰 모범을 보이는 사람으로 성숙해가야 할 것입니다.

하나님 아버지!

우리에게 그룬트비 목사님과 같은 분을 알게 해주셔서 감사합니다. 가장 가난하고 척박했던 나라가 150년 만에 가장 부강한 나라가 된 것은 한 사람의 희생과 솔선수범이 있었기 때문이라는 것을 깨달았습니다. 오늘 이 이야기를 배운 저희들도 사랑의 마음으로 솔선수범하는 가치관을 갖도록 도와 주세요.

예수님의 이름으로 기도드립니다. 아멘!

주변이 정리되면 마음도 깨끗해요

When the surroundings are clear, the mind is clean

(말씀 _ 31)

| 본문 고전 14:40 |

모든 것을 품위 있게 하고 질서 있게 하라.

외울 말씀

"모든 것을 품위 있게 하고 질서 있게 하라."(고전 14:40)

관련 동영상

청소의 힘

정리하면 잘 보여요

조선 시대, 정조 임금은 아버지의 묘소가 있는 수원 용주사 부근에 화성 신도시 건립에 착수합니다. 그리고 수원, 광주, 용인, 과천, 남양 등 여덟 고을에 명령합니다.

"나라의 부강은 치산치수에 달렸다. 그러므로 나무를 지속적으로 심도록 하라!"

정조의 어명에 의해 1789~1795년의 7년 동안 여덟 고을에서 나무를 심었습니다. 그리고 심을 때마다 보고문이 계속 올라왔습니다. 그런데 나무를 심었다는 보고가 하도 많고 복잡해서 어느 고을이 무슨 나무를 심었는지 알 수가 없었습니다. 그러다 보니 심은 나무의 총수(總數)도 파악할 수 없는 지경이 됐습니다. 그때 정조의 명에 따라 다산 정약용 선생은 그 자료를 정리하고 파악하는 작업을 했습니다.

그런데 다산은 그것을 글로 표현하지 않고 그래프 역할을 하는 표로 만들었다고 합니다. 먼저 가로는 1년 열두 달을 뜻하는 열두 칸, 세로는 여덟 고을을 뜻하는 여덟 칸의 도표를 만들어 칸마다 그 수량을 적었습니다. 도표 아래에는 나무 종류별 그루 수를 따로 적었다고 합니다. 이렇게 총수를 헤아려 보니 소나무와 상수리나무 등이 모두 12,009,772그루였다고 합니다.

정조 임금은 결과를 보고받고는 입이 딱 벌어졌습니다. 소 한 마리가 땀을 흘릴 만한 분량의 보고서를 한 장의 도표로 일목요연하게 정리했기 때문입니다. 다산 정약용 선생님은 이렇게 어렵고 복잡한 것을 정리하여 일목요연하게 설명하는 뛰어난 자질을 갖추신 분입니다. 이러한 능력을 '자신이 아는 것을 남에게 잘 전달하는 패턴 형성 능력'이라고 할 수 있습니다. 그런데 이 패턴을 잘 만들 줄 알게 되면 다음에 연결될 일이 무엇인지 예측할 수 있다고 합니다. 이것이 패턴 형성의 능력입니다. 정리하고 잘 요약하고 일목요연하게 표로 만드는 일은 우리의 마음에도 필요한 능력입니다. 이것을 정리하는 습관이라고 말할 수 있습니다.

예수님은 하나님의 구원을 로마서 3장 23절 24절에서 다음과 같이 간략하게 표현했습니다.

"모든 사람이 죄를 범하였으매 하나님의 영광에 이르지 못하더니(원인), 그리스도 예수 안에 있는 속량으로 말미암아 하나님의 은혜로 값 없이 의롭다 하심을 얻은 자 되었느니라(결과)."

컨테이너와 폴더

사람들은 말콤 맥린을 화물 운송의 원조, 즉 물류계의 거물이라고 부릅니다. 그는 원래 트럭 운전기사였습니다. 그런데 일하면서 보니 화물을 싣고 내리는 일 때문에 운송이 항상 늦어진다는 사실을 알게 되었습니다.

그래서 이런 생각을 하게 됩니다.

'부두의 크레인이 트럭에 실은 트레일러를 통째로 들어 올려

선박 위로 옮겨놓을 수 있다면 매우 효율적이고 비용도 절감될 텐데.'

그의 생각은 점점 상상을 넘어서 구체화되어 갔습니다. 하지만 그렇게 하려면 먼저 해결해야 할 몇 가지 조건들이 있었습니다. 그게 뭐냐면 트레일러의 표준화였습니다. 맥린은 그 생각을 시작한 첫날부터 관찰하기 시작했습니다. 트럭을 모는 틈틈이 트레일러에 실린 짐을 일괄적으로 모아 한꺼번에 들어 올려 짐을 실을 구상을 했습니다. 누구든지 사물을 허투루 보지 않고 의문을 가지고 항상 잘 관찰하면 위대한 발견을 할 수 있습니다.

그는 많은 관찰과 실험 끝에 결국 트럭 트레일러 디자인을 표준으로 정하면 자신의 생각대로 될 수 있겠다고 생각하게 됩니다. 그리곤 조금 더 생각을 발전시켜 고객들이 맡기는 많은 종류의 짐들을 처음부터 하나의 궤짝과 같은 틀 안에 집어 넣으면 화물도 안전하게 보관할 수 있고, 들쑥날쑥한 짐도 차곡차곡 쌓아 배에 훨씬 더 많은 짐을 실을 수 있을 것 같다는 결론에 이르게 됩니다.

그렇게 고민에 고민을 거듭한 끝에 결국 그의 아이디어는 컨

테이너라는 규격화된 철제 용기를 만들어 궤도차와 선박 화물에 그대로 적용시켜 선적 속도를 배가시키게 됐습니다. 한 작은 관찰과 아이디어에서 시작된 이 위대한 혁명은 마침내 1956년 뉴저지에서 최초의 컨테이너 수송선이 출발함으로써 구체화되었습니다. 이때부터 세계 해양 물류 수송의 혁명이 시작된 것입니다.

그런데 이 혁명에 불을 붙이는 사건이 발생하게 됩니다. 그것은 10년 뒤 베트남전의 발발입니다. 전쟁은 많은 군수물자를 조달해야 한다는 숙제를 안겨주는데, 문제는 속도와 안전이었습니다. 그런데 컨테이너는 이 두 가지 요구를 가장 잘 맞추어주는 작품이었습니다. 결국 그 효용성이 더욱 크게 입증되면서 그의 아이디어는 세계 표준으로 자리를 굳히게 됐습니다.

컨테이너를 규격화시키자 적재와 하역을 기계로 처리할 수 있게 되었습니다. 그리고 들쭉날쭉한 화물을 잘 정리하여 박스로 된 컨테이너 속에 넣으니 깔끔할 뿐만 아니라 더 많이 실게 되어 물류비용도 단축되고 시간도 절약하게 되었습니다.

정리와 요약은 품위를 만든다

우리의 비전과 계획도 그래야 합니다. 다시 말해 많은 사람들에게 유익한 일이 꿈이 되어야 합니다. 그래야 많은 사람들이 공감하고 동참하기 때문입니다. 어떤 일을 할 때 명분과 비전만 가지고는 안 된다는 사실을 꼭 명심해야 합니다. 그의 아이디어와 관찰 그리고 구체적인 실현을 보면 '믿음이란 말 그대로 보지 못하는 것의 증거'(히브리서 11:1)란 말이 실감이 납니다. 이 세상에 존재하는 모든 발명품은 어느 순간 한 사람의 아이디어에서부터 시작되었다는 것을 잊지 말기 바랍니다. 그것을 이루는 것이 간단하게 정리하면 믿음이요, 신념이며, 비전입니다.

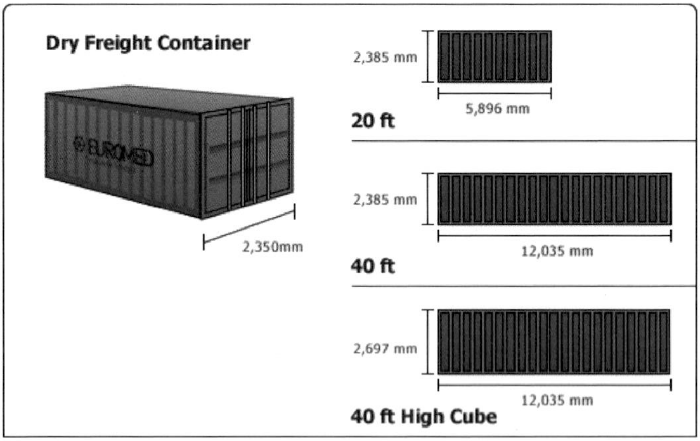

행복을 만드는 자장(磁場)

마스다 미츠히로(舛田光洋)는 작가가 있습니다. 그는 세상의 온갖 불행이 자신을 따라다닌다는 생각을 하였습니다. 왜냐하면 사업에 실패했고, 이혼하여 가정도 깨어져 모든 것을 잃어버린 뒤 우울증과 자살 충동에 시달리고 있었습니다.

온갖 쓰레기더미로 가득찬 방에서 꼼짝도 않고 있었는데, 친구가 찾아와 방의 쓰레기는 물론 집까지 정돈해 주었습니다. 청소를 마친 친구가 창문을 활짝 열어 환기를 시키자, 절망에 빠져 있던 미츠히로는 갑자기 희망을 느끼게 되었다고 말했습니다. 이에 영감을 얻은 미츠히로는 친구와 함께 청소 사업을 시작하였습니다.

그것으로 성공한 후에 《꿈을 이루어주는 청소력》이라는 책을 집필하여 베스트셀러를 기록하면서 일본 최고의 성공학 강사가 되었습니다. 친구의 도움으로 밑바닥의 삶에서 역전을 경험한 것입니다.

그런데 우리에게는 사람의 도움이 아닌 하나님께서 도와주신다는 약속이 있습니다. 낮은 자, 천한 자, 부족한 자, 힘없는 자를 세상을 호령하는 자로 만들어주시겠다는 하나님의 말씀입니다. 지렁이같은 우리의 이름만 부르는 것이 아니라 구체적으로 도와주심을 믿으시기 바랍니다.

이사야 41:14절에 보면 "두려워 말라. 나 여호와가 말하노니 내가 너를 도울 것이라. 네 구속자는 이스라엘의 거룩한 자니라." 도움은 천지를 지으신 하나님에게로 옵니다. 내가 하는 것이 아닙니다. 하나님의 도움으로 하나님이 하십니다.

그러므로 위급한 상황에도 두려워하지 말아야 합니다. 하나님이 함께하심을 믿어야 합니다. 인간을 향하신 하나님의 도우심은 과거에도 있었고, 현재에도 존재하며, 미래에도 끊임없이 계속될 것입니다. 그러므로 주변을 잘 정리 · 정돈하고, 하나님 앞에 믿음으로 선한 자장을 만들어야 합니다.

결론입니다

다양한 생각들, 잡다한 물건들, 흩어져 있는 재료들은 원래 존재하는 것들입니다. 하지만 그것을 잘 정리하여 일목요연하게 하면 마치 무늬처럼 패턴이 보이게 됩니다. 하나님이 만들어 놓은 이 세상은 관찰을 잘하면 그런 질서가 보이고, 정리를 잘하면 패턴이 보입니다. 그것을 우리는 발견이라고 하고, 물건으로 만들면 발명이라고 합니다. 하나님이 주신 달란트타고난 재능과 소명와 성품은 이렇게 정리와 정돈을 잘하는 사람에게서 더 발전을 하게 됩니다.

여러분들은 주변을 어떻게 정리 · 정돈하나요? 또 복잡하고 어려운 문제들을 만나면 어떻게 생각들을 정리하나요? 흩어진 대로, 복잡한 것을 그대로 내버려두면 우리는 점점 미궁으로 빠져들게 된답니다. 항상 정리하고, 정돈하는 습관을 기르도록 합시다. 그렇게 되기를 주님의 이름을 부탁드립니다.

하나님 아버지!

저희들에게 생각의 힘을 주시니 감사합니다.

하나님이 이 세상을 조화롭게 하시고, 질서를 주셔서 세상 모든 만물들은 하나님이 주신 질서대로 움직이고 있습니다. 하지만 저희들은 생각없이 일하고 움직이기 때문에 정리나 정돈보다는 오히려 어지럽히고 혼돈스럽게 할 때가 많습니다. 기도합니다. 저희도 정리를 잘하며 정돈된 생각과 정돈된 환경을 만들며 살도록 도와주십시오. 작게는 제 공부방과 작업 공간을 잘 정돈하고, 항상 복잡한 생각 속에서 일의 중요성을 따져 정리를 잘 하도록 도와주시기를 주 예수님의 이름으로 부탁드립니다. 아멘

훈련을 통해 정돈하는 습관을 길러요

You get to practice habits

(말씀 _ 32)

| 딤전 3:2 |

그러므로 감독(지도자)은 책망할 것이 없으며 한 아내의 남편이 되며 절제하며 신중하며 단정하며 나그네를 대접하며 가르치기를 잘하며

외울 말씀

"그러므로 감독은 책망할 것이 없으며 한 아내의 남편이 되며 절제하며 신중하며 단정하며 나그네를 대접하며 가르치기를 잘하며"(딤전 3:2)

관련 동영상

플레밍

푸른 곰팡이를 발견한 플레밍

정리와 정돈, 그리고 생각을 잘 정리하여 큰 발견을 한 사람에 대해 이야기해 보려고 합니다. 여러분은 알렉산더 플레밍이란 사람을 아시나요? 사람들은 그 이름은 기억하지 못하지만, 그가 남긴 위대한 업적은 아직도 기억하고, 잘 이용하고 있습니다. 플레밍은 푸른곰팡이 속에서 페니실린이란 물질을 발견해서 독감으로 죽어가던 수많은 사람을 살린 의학자입니다.

그런데 그가 우연히 페니실린을 발견했을까요? 과학자가 어떤 한 분야를 연구할 때 그 결과를 얻기까지는 수천 번 이상 실험하

9월 3일, 1928년

플레밍, 페니실린 발견

1928년 9월 3일 영국 런던대학에서 유행성 독감을 연구하던 미생물학자 알렉산더 플레밍 박사는 세균 배양 접시에서 특이한 푸른곰팡이를 발견했다. 다른 박테리아를 다 죽인 채 혼자 남은 이 푸른곰팡이 페니실린은 20세기 중 가장 많은 희생자를 낸 독감, 기관지염, 급성 폐렴 등의 치료에 효과적으로 쓰여 사망자를 크게 줄였다. 플레밍 박사는 페니실린 농축과 정제에 성공한 옥스퍼드대학의 피오리와 체인 두 사람과 함께 1945년 노벨의학상을 받았다. 페니실린의 장점은 다른 약물들과는 달리 백혈구에 전혀 해를 끼치지 않는다는 것이다.

고 분석해야 한다는 사실을 여러분도 잘 알 겁니다. 그렇다고 해도 원하는 결과를 얻기는 굉장히 힘들다고 할 수 있습니다. 하지만 플레밍은 계속되는 실험과 분석 속에서도 정리하고 또 기록하는 습관 때문에 결국 인류의 목숨을 구하는 위대한 발견을 하게 됩니다.

플레밍은 페니실린을 우연히 발견한 게 아니었습니다. 그는 실험을 마치고 나서 항상 실험 자료들을 버릴 때에는 다시 한 번 확인하는 습관이 있었습니다. 그래서 늘 주변을 잘 정리하고 정돈하고 또 기록하기를 평생 동안 했습니다. 그렇게 하는 이유는? 실험 결과를 처음 봤을 때 알지 못했던 사실을 다시 보면 발견할 수도 있다고 생각했기 때문입니다.

페니실린을 발견한 날도 평소처럼 실험을 마치고, 마지막으로 그날 실험했던 시험관을 검사하고 있었습니다. 그런데 그가 마지막으로 검사하던 시험관에 푸른곰팡이들이 가득한 것이었습니다. 만약 그가 실험 결과를 한 번만 쓱 보고 지나쳤다면 지금의 항생제는 없을지 모를 일입니다. 그의 정리와 정돈 습관이 결국 페니실린이라는 항생제를 만들었다고 할 수 있습니다.

페니실린의 발견은 인류의 고질적 질병을 이길 항생제 개발의 첫 신호탄이었기 때문에 중요합니다.

플레밍 자신은 페니실린의 발견이 '순전히 우연의 산물'이라고 말했습니다. 하지만 그 우연은 소 뒷걸음으로 잡은 쥐가 아니라 오랜 연구와 정리 그리고도 정돈하는 습관 중에 얻어진 축복이라고 해야 옳을 것입니다.

품위 있게, 그리고 절제 있게

인류 발전에 이바지한 위대한 인물들에게는 또 하나의 공통점이 있습니다. 그건 바로 자신의 일을 즐긴다는 것입니다. 로버트 루트-번스타인(Robert S. Root-Bernstein)과 미셸 루트-번스타인(Michele M. Root-Bernstein)이 함께 쓴 《생각의 탄생(Sparks of Genius)》이란 책에는 알렉산더 플레밍(Alexander Fleming)이 세균을 가지고 재미있게 놀았다는 이야기가 나옵니다.

1936년에 그때까지는 비교적 잘 알려지지 않았던 플레밍은 런던에서 열린 2차 미생물학 국제 총회에서 두 가지 발표를 했습니다. 첫 번째 발표에서 그는 페니실리움(Penicillium)이라는 기이한 곰팡이를 소개했습니다. 이것은 각종 감염성 박테리아의 성장을 막는 합성물질을 만들어낸다는 것이었습니다. 두 번째는 세균을 배양해서 그들의 움직임을 살필 수 있다는 것이었습니다. 과학계에서는 두 가지 발표 내용 모두를 대수롭지 않게 생각했습니다.

알렉산더 플레밍은 두뇌가 명석한 학생이었으며, 매우 열심히 일하는 과학자였습니다. 플레밍은 늘 일하면서 놀았고, 놀면서도 일했다고 합니다. 하지만 그렇다고 해서 품위를 잃지는 않았습니다. 왜냐하면 절제할 줄 알았기 때문입니다.

그의 상사였던 앨름로스 라이트 경은 그에게 이렇게 말한 적이 있습니다.

"자넨 게임을 하듯이 연구를 대하는구먼. 그게 엄청나게 재미나겠지?"

그는 과학이라는 게임 안에서 게임을 만들었다고 할 수 있습니다.

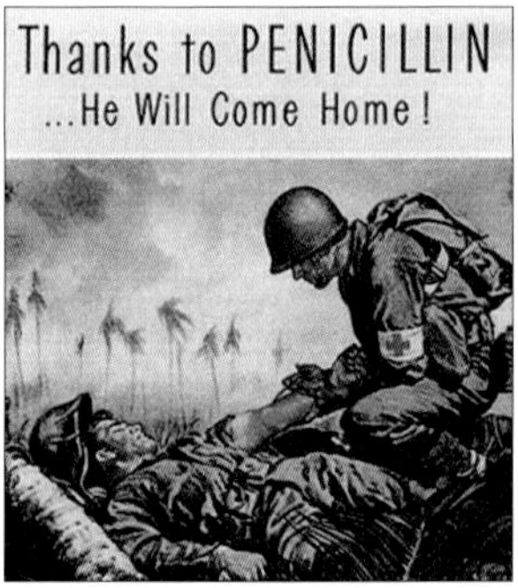

그는 무엇을 하느냐고 질문 받을 때마다 이렇게 대답했습니다.

"나는 미생물을 가지고 논다네. 물론 이 놀이에는 아주 많은 규칙이 있지. 그런데 어느 정도 이 놀이에 익숙해지고 나서 그 규칙을 깨뜨려 보면 아주 재미있다네. 그렇게 되면 다른 사람들은 생각조차 못해 본 어떤 것을 알아낼 수 있게 되는 거지."

그는 어떤 실험의 결과물을 버리기 전에 2, 3주 정도 그대로 놔두는 습관이 있었습니다. 그러면서 우연히 예상 밖의 재미있는 현상이 일어나지 않을까 하면서 아주 면밀하게 관찰하곤 했습니다. 결국 그 후의 결말을 보면 그가 옳았다는 것이 증명됐습니다.

그는 평소처럼 실험을 마친 뒤 마지막으로 그날 실험했던 시험관을 검사하고 있었습니다. 언제나 정리 · 정돈이 잘되어 있는 그의 실험실은 그러한 발견을 가능하게 만드는 원인이었습니다. 그가 마지막으로 검사하던 시험관에 푸른곰팡이들이 가득찬 것을 발견하게 되었습니다. 만약 실험 결과를 한 번만 쓱 보고 지나쳤다면 지금의 항생제는 없었을지 모릅니다. 그의 인내심이 페니실린을 발견했다고 할 수 있습니다.

플레밍은 페니실린을 발견한 공로로 1945년에 노벨 의학상을 받았습니다.

항상 주변 정리를 잘하기

찻잔 속에는 태풍도 없습니다. 큰 꿈을 가지고 성공하는 사람이 되어 보려고 노력하는 사람은 갖추어야 할 그릇도 큰 법입니다.

이은정 씨가 한 이야기 중에 이런 글이 나옵니다.

"나는 책상을 잘 잠그는 버릇이 있다. 한 번 확인하고 두 번 세 번 또 확인한다. '잘 잠갔나?', '잘 잠겼구나.' 그제야 맘 놓고 퇴근한다. 내가 이렇게 책상 서랍을 잘 잠그는 버릇이 든 데는 이유가 있다. 언젠가 아침에 출근해 보니 책상 서랍이 열려 있었다. 어제 분명히 잠그고 갔는데 하면서 당황하여 서랍 안을 보니까 회사의 중요한 서류가 사라지고 없었다. 나는 크게 놀라 우왕좌왕하게 되었다. 인사는 굉장히 예민한 문제이기 때문에 잘 다뤄져야 하는 정보인데, 그걸 흘려버린 셈이다. 그 후로 나는 아주 조심하게 되었다. 책상 위에 서류를 놓고 다니지 않는 것은 물론이고, 자물쇠를 채우고도 안심이 안 돼서 몇 번씩 확인한다. 자신의 서랍을 관리하는 일은 중요하다. 회사의 책상은 이미 자기 책상이 아니라 회사 책상이고, 자기 자신의 책상 서랍이 아니라 회사의 기밀이 들어 있는 회사의 서랍이기 때문이다."

작은 습관 하나가 불러 올 수 있는 큰 위험 중의 하나가 정보의 도난입니다. 여러분들도 영화에서 보았겠지만 우리 주위엔 남의 정보를 훔치는 사람들이 아주 많이 있습니다. 그들은 순간의 틈을 노려 아주 중요한 우리의 정보들을 훔쳐가서 부당한 이익을 취하고 우리에겐 손해를 끼칩니다. 오늘날과 같은 인터넷 시대엔 이러한 정보 도둑이 더 많아질 겁니다.

그런데 이러한 정보의 도둑을 예방하는 습관은 아주 어려서부터 갖추지 않으면 안 됩니다. 그럼 무엇부터 해야 할까요?

책상 정리를 잘하자

청소년기에 참 잘 안 고쳐지는 습관 중의 하나가 책상 정리입니다. 집에서 엄마나 아빠들이 책상을 치워두어도 어느 사이엔가 또 어지럽게 흐트러져 있곤 했던 기억이 있습니다. 그리고 등교할 아침이 되면 준비물을 찾느라고 책상 서랍 이곳저곳을 열었다 닫았다는 하는 것을 보면서 한심하다는 생각을 가질 때가 솔직히 많습니다.

'왜 10대 때는 주변이 정리되지 않고 산만할까요?'

잘 잊어버리고 또 헤매는 사람들의 동선을 가만히 관찰해 보면 너무 분주하단 것입니다. 분주할수록 정리와 정돈이 필요한데도 정리와 정돈을 할 순간도 없이 또 다음 일이 기다리고 있습니다. 생각도 마찬가지입니다.

이런 비유를 해보겠습니다. 여기에 분필통이 있습니다. 분필통 안에는 12개의 분필이 들어 있습니다. 그런데 어쩌다가 분필을 다 쏟아버렸습니다. 그래서 다시 주워 담아야 하는데, 한 손에 열두 개를 쥐고 집어넣으려고 합니다. 이게 잘 들어갈까요? 힘들 겁니다. 그래서 귀찮지만 분필을 하나씩 차근차근 넣을 수밖에 없습니다.

마찬가지로 공부도 그렇습니다. 그날 배운 것을 차근차근 정리해서 있어야 할 위치에 정리해 두지 않으면 시험 한 번 치고 나면 다 잊어버리게 됩니다. 그리고 다음엔 또다시 공부해야 하는 악순환이 발생합니다.

마찬가지로 책상 정리도 두뇌 훈련과 같은 원리가 있습니다. 항상 자신의 주변에 있어야 할 물건 · 도구 · 책 등이 제자리에 있도록 구역을 정하여 정리해 두는 훈련은 공부 잘하는 사람들의 공통적인 습관입니다. 또 학교에 갔다 오면 습관적으로 컴퓨터부터 켤 것이 아니라 자신을 다스린 다음 책상에 고요히 앉아 그날 학교에서 배운 것들을 다시 한 번 생각하고 정리하는 시간으로 삼아야 합니다. 그러면서 책상과 책꽂이를 정리하기 위해 다시 한 번 점검합니다.

결론입니다

모든 물건이 항상 제자리에 있도록 하려면 의식적으로 습관을 만들어야 합니다.

공부 못하는 아이들을 보면 공통적인 습관이 또 하나 있습니다. 그것은 공부를 해야 겠다고 마음먹는 순간부터 실제로 공부하는 순간에 이르기까지의 시간이 매우 길다는 겁니다. 왜 그런지 자세히 보면 책 찾는데 10분 소요, 노트 찾고 연필 찾는데 10분 소요,

찾다가 색다른 것을 발견하면 그것을 잠시 만지느라 10분 소요, 거의 30~40분이 지나서야 겨우 공부에 몰입하게 됩니다.

항상 물건 정리를 잘하여 제자리에 두는 습관을 어릴 때부터 갖춘 사람은 이러한 낭비가 없습니다. 책상 정리를 잘하고 주변을 늘 정리하며 사는 사람은 무엇을 잊어버릴 염려도, 또 깜빡 잊어먹을 염려도 없습니다. 좋은 습관을 가지기 위해 항상 주변을 정리하는 습관을 기르기 바랍니다.

하나님 아버지!

생각과 마음이 정돈되지 않은 상태에서 저는 너무 분주합니다. 그래서 생각은 많지만 하나씩 이루어지는 것이 없습니다. 저의 생각을 품위 있게 만들어 주세요. 그래서 많은 일보다 중요한 일을 택하고, 중요한 것은 늘 정리하고 정돈하여 내 생각의 내 발견 내 발명이 되게 하여 주세요. 다니엘처럼 마음을 뜻을 정하면 위험이 올지라고 뜻을 지키는 습관을 주십시오. 예수님처럼 항상 옳은 일을 하되 시작한 것을 마칠 수 있게 하시고, 주변을 잘 정리 정돈하여 시간을 허비하지 않도록 도와주시길 예수님의 이름으로 부탁드립니다. 아멘!

일목요연하게 정리하는 성품

Character to organize at a glance

(말씀 _ 33)

| 딤전 3:2 |

그러므로 감독(교회 지도자)은 책망할 것이 없으며 한 아내의 남편이 되며 절제하며 신중하며 단정하며 나그네를 대접하며 가르치기를 잘하며

외울 말씀

"그러므로 감독은 책망할 것이 없으며 한 아내의 남편이 되며 절제하며 신중하며 단정하며 나그네를 대접하며 가르치기를 잘하며"(딤전 3:2)

관련 동영상

정약전

자산어보

《자산어보》는 우리나라 최초의 해양 수산 백과사전입니다. 이 책은 다산 정약용의 형인 정약전(1760~1816) 선생이 집필한 저서로 1814년(순조 15)에 간행되었습니다.

정약전은 1801년(순조 1) 신유사옥으로 전라도의 먼 섬 흑산도에서 유배 생활을 하게 되었습니다. 유배 생활을 하던 중 흑산도 근해의 수산 생물을 실제로 조사하고 채집해서 기록을 남겨 나중에 백과사전을 편찬하였습니다. 제목의 자산(玆山)은 흑산(黑山)이라는 뜻입니다. 정약전은 검은 산이란 뜻의 흑산이 너무 음침하고 어두워 검은색을 뜻하는 또 다른 말인 자산으로 책 제목을 정했습니다. 흑산도는 멀리서 보면 검게 보이는데, 그 이유는 섬을 빽빽하게 둘러 싼 동백나무 때문입니다. 나뭇잎이 검녹색으로 보여 흑산도라 이름하였는데, 정약전 선생은 동백꽃의 짙은색을 검을 '자'로 표현하여 《자산어보》라 명명한 것입니다.

《자산어보》에는 수산 동식물 155종의 명칭 · 분포 · 형태 · 습성 · 이용 등에 관해 상세하게 기록되어 있습니다. 우리나라 최초의 백과사전적 저술로서 유배 기간 동안 쓰인 옥중 저서라고 할 수 있습니다.

모든 것을 정리하면 한눈에 들어 온다

정약전은 정약용의 형님으로 왕권신수설에 가까운 학풍을 가지고 있던 남인계의 학자였습니다. 일찍이 서학에 뜻을 두어 천주교에 입교했습니다. 천주교에 입교한 후에는 벼슬에서도 물러나 오직 선교 활동만 했다고 합니다. 당시 우리나라는 교황청이 제사를 금지하면서 1791년 충남 금산에서 모친 위패 소각 사건이 일어나자 유교 사회였던 조선에서는 부모를 모르는 짐승과 같은 도리를 전파하는 것으로 보아 서학(천주교)자를 매우 박해했습니다. 1791년 신해박해가 일어나자 황사영이 청나라의 신부에게 편지를 보내 조선 침공을 요청하는데, 비단에 쓴 이 편지가 발각되어 역적으로 몰리게 됩니다. 그래서 1801년에 다시 신유박해가 일어납니다. 그래서 정약전도 신유박해 때 결국 흑산도라는 섬으로 유배를 가게 되었던 것입니다. 그러나 그는 결코 좌절하거나 포기하지 않았습니다.

흑산도에 유배된 정약전은 그 섬의 물가에서 흑산도 바다의 물고기를 들여다 보면서 16년의 세월을 보냈습니다. 그가 유배를 가 있는 동안 남긴 《자산어보》란 책에는 흑산도 근해에 사는 동식물 수백 가지를 직접 채집해서 명칭 · 분포 · 형태 · 습성 · 이용 등에 관해 상세히 기록되어 있습니다. 그런데 그게 어찌나 정확하고 자세한지 《자산어보》에 있는 해양 생물들의 정보는 지금 봐도 매우 정확하고 정밀합니다.

《자산어보》에 실려 있는 각종 수산 동식물의 이름들 자체에도 큰 의미가 있습니다. 당시 흑산도에서 사용되던 생물들의 방언을 발음 그대로 옮겨 놓았기 때문입니다. 동식물의 옛 이름 · 어원 · 변천 과정까지 추측해 볼 수 있게 하는 중요한 자료가 되기 때문에 지금도 자료로서 활용 가치가 있다고 합니다.

그렇다고 단순히 방대하기만 한 건 아닙니다. 세부 내용도 대단히 훌륭하다고 합니다. 이제까지의 책들이 단순히 생물의 이름만 나열하거나 기껏해야 중국 문헌에 나온 기록들을 그대로 옮기는 데 불과했던 것과는 달리 정약전은 생물을 직접 채집 · 관찰하여 해부까지 해가며 얻은 사실적이고 정확한 지식들을 아낌없이 책에 쏟아 부었습니다.

그는 막막한 유배 생활에 지치지 않고 바다의 물고기를 잡아 관찰하는 것을 위안으로 삼았습니다. 그 고통과 절망이 오히려 매우 정확하고 자세한 바다의 백과사전을 만들게 한 것입니다. 백과사전을 만들려면 가장 중요한 자질이 정리하고 정돈하여 일목요연하게 배치하는 것입니다. 정리와 정돈을 통해 보지 못하던 유사한 것이 발견되고, 유사한 것들을 다시 정리하면 하나의 계통을 파악할 수가 있게 됩니다. 예를 들면 문어라고 알고 있는 연체동물도 문어 외에 쭈꾸미, 세발낙지, 갯벌낙지 등과 같이 유사하지만 서로 다른 해양 동물들이 있음을 알 수 있게 되었습니다.

기록은 기억보다 강하다

"기록하고 잊어라. 잊을 수 있는 기쁨을 만끽하면서 항상 머리를 창의적으로 쓰는 사람이 성공한다. 그 비결은 바로 메모 습관에 있다."

- 사카토 케지 -

정리하고 정돈하는 것 외에 또 다른 하나의 좋은 습관은 메모입니다. 누군가 "메모란 잊어버리지 않기 위해 하는 것이 아니라 기록한 후 잊기 위해 하는 것이다."라고 말했습니다.

앞으로 여러분들이 살아갈 시대는 지금과는 비교할 수 없는 정보와 지식의 홍수 시대입니다. 문제는 그 많은 정보를 어떻게 관리하고 필요한 것만 쏙 기억하느냐 하는 문제입니다. 그런데 방법이 있습니다. 메모를 통해 암기한 다음 잊어버리는 겁니다. 메모를 통하여 잘 정리되어 있기 때문에 안심하고 잊을 수 있는 기쁨을 만끽하면서 항상 머리를 창의적으로 쓰는 사람이 성공합니다. 그렇게 만들어주는 비결이 바로 '메모 습관'입니다.

사카토 켄지(坂戸健司)라는 분은 《머리보다 손이 먼저 움직이는 메모의 기술》이란 글에서 항상 '메모해 둘 걸' 하고 후회하는 사람, 메모를 통해 업무의 효율을 높이고 풍부한 아이디어를 얻고 싶은 사람, 메모에 익숙해지고 싶은 사람들에게 유용한 것은 '즉시 메모'라고 알려줍니다.

특히 '정보가 힘'이 되는 21세기에는 머리와 마음을 정리하는 메모가 가장 강력한 무기입니다.

정리란 무엇일까요?

윤선현 작가는 '자신의 삶과 공간의 혼란을 지배하는 것'이라고 말합니다. 삶의 혼란함 속에 끌려다니는 것이 아니라 인생의 주인이 되어 자신의 삶을 콘트롤하는 것이란 뜻입니다. 책상을 정리하면 업무가 정리되고, 업무가 정리되면 퇴근 후 삶도 달라진다는 것이 체험한 사람의 고백입니다. 나아가 정리는 곧 돈이자 시간, 삶의 의욕, 여유, 실행력, 창조력, 기회라고 강조하기도 합니다.

정리를 중시하는 기업과 최고경영자(CEO)도 있습니다. 일본 자동차 용품 및 정비 서비스 전문 기업인 '옐로햇'의 창업자 가기야

마 히데사부로는 그의 책 《머리 청소 마음 청소》를 통해 40년간 하루도 빠지지 않고 회사를 청소한 게 자신의 성공 비결이라고 이야기했습니다.

그는 말합니다.

"사람은 눈에 보이는 것에 마음도 간다. 자리에서 일어나 행동으로 옮기지 않으면 망상 · 잡념으로 가득차게 되고, 적극적인 사고력이 쇠퇴하며, 모든 것을 귀찮아하게 된다. 이런 악순환의 고리를 끊고 좋은 생각으로 바꾸기 위해서는 손이 닿는 곳부터 정리하며 몸을 움직이고 행동해야 한다."

《성공하는 CEO들이 일하는 방법》을 쓴 스테파니 윈스턴은 성공한 CEO들의 공통점으로 깔끔한 책상을 꼽았습니다. 미국 포켓몬의 사장 아키라 치바(Akira Chiba)의 책상에는 컴퓨터, 책상용 소품, 그리고 진행 중인 프로젝트 관련 서류가 몇 장 놓여 있고, 석유 재벌 록펠러 역시 책상에는 몇 가지 필기구만 남겨 놓았다고 합니다.

버락 오바마 미국 대통령의 책상 위에도 전화기 한 대와 서류 몇 장이 놓여 있는 것으로 유명합니다.

정리는 단지 청소만을 의미하지 않습니다. 서류나 파일을 찾기 위해 허둥대는 시간을 줄이고, 정보도 빠르게 검색해 활용할 줄 알아야 합니다. 또한 스케줄과 남다른 인맥을 관리하는 능력도 비즈니스맨들에게 꼭 필요합니다.

정리의 순서

총 5단계를 거치면 정리가 간단해집니다.

첫째, 정리할 공간의 목적을 파악하여야 합니다.

둘째, 목적에 따른 물건의 분류가 필요합니다. 학생은 공부나 학년에 따라, 직장인은 직종 · 직책 · 업무에 따라 필요한 도구가 다를 수 있습니다. 필요와 불필요한 것, 자주 사용하는 것과 가끔 사용하는 것 등의 기준으로 분류해야 합니다. 개인적인 물건은 집에 가져가고 업무에 꼭 필요한 게 아니라면 버립니다. 이때 책은 기증하거나 중고 서점에 판매하면 됩니다.

셋째, 물건이 항상 있어야 할 '지정석'을 마련해 줍니다.

넷째, 청소 단계로, 항상 그 상태를 유지하는 것입니다. 매일 한 번 닦는 것만으로도 청결한 상태를 유지할 수 있습니다.

마지막은 물건을 순환하는 단계입니다. 새로운 프로젝트가 시작되면 일정 기간이 지난 파일은 책상 아래로 내립니다. 정리의 핵심은 '필요한 물건을 한 번에 찾을 수 있도록 하는 것'입니다.

시간 정리의 원칙

시간 정리의 원칙은 '우선 순위'의 관리입니다. 업무 중에도 또 다른 일이 몰려 들어오는 직장인들에게 무엇을 먼저 처리하느냐는 중요한 문제입니. 가장 빨리 할 수 있는 일을 먼저 해 일의 개수를 줄이는 게 중요합니다. 일의 개수가 쌓이면 쉽게 지치기 때문에 10분 안에 처리할 수 있는 일부터 빨리 처리하는 것이 중요합니다. 그 후에 중요한 일을 합니다. 다만 집중되지 않을 때는 중요한 일보다 단순 반복적인 일을 먼저 처리합니다.

강의나 수업, 회의나 약속도 정리합니다. 하루 3개 이상의 약속은 잡지 않는 것을 원칙으로 삼아야 합니다. 시간 정리를 하기에 앞서 명심할 점은 '오늘 할 일을 내일로 미루지 않는 자세'입니다. 산더미처럼 일이 쌓이면 정리할 수 없기 때문입니다.

정보 정리

필요한 정보는 바로 찾을 수 있도록 폴더를 만들어 정리하여야 합니다. 시간적 효율성이라는 측면에서 공간을 정리하는 것과 정보를 정리하는 것은 같습니다. 사진 · 동영상 · 메모 등 일상의 모든 기록과 자료를 필요할 때 곧바로 꺼내 쓸 수 있으려면 정리가 필요합니다.

문제는 자료의 종류가 다양하고 곳곳에 흩어져 있을 때입니다. 이런 상황에 대비하려면 오프라인의 모든 정보를 디지털화하는 데 힘을 쏟아야 합니다.

정보 정리는 크게 컴퓨터 파일 정리와 데이터 정리로 나눌 수 있습니다. 핵심은 정리의 행위보다 필요할 때 '잘 찾아볼 수 있게 하는 데'있습니다. 컴퓨터 파일을 정리할 때는 폴더를 잘 분류하는 게 중요합니다. 이때에는 자신만의 분류 방법을 적용할 필요가 있습니다. 최대한 자신이 잘 알아볼 수 있도록 중요한 키워드를 함께 적어 놓습니다. 이번 주에는 실천을 위해 책상 정리, 메모 정리, 주변 정리, 시간 정리 등의 실천 사항을 꼭 동영상으로 찍어 놓기 바랍니다.

결론입니다

우리는 지금 너무 많은 홍수 시대에 살고 있습니다. 가장 큰 홍수는 정보의 홍수입니다. 쓸 수 있는 정보와 쓸 수 없는 정보를 분간해야 하는데, 그것을 분별하는 방법은 메모해 두는 것입니다.

정보를 잘 정리하여 아니라고 할 수 있는 정보는 과감하게 버려야 합니다. 그리고 다양한 메모 방법 중 자신에게 가장 맞는다고 생각되는 것을 선택하여 꾸준히 계속하다 보면 어느 순간 자신만의 메모 방법을 터득하게 됩니다.

교회에서 설교 말씀을 들을 때에도 메모하고 기록하는 습관을 기르는 것이 정리 · 정돈의 습관을 키우는 데 도움이 됩니다. 생각이 정리되면 행동이 정리되고, 행동이 정리되면 주변도 정리됩니다. 그렇게 주변을 잘 정리하고 할 일과 하지 말아야 할 일을 잘 살펴두면 때가 되면 반드시 하나님이 우리를 크게 들어 쓰실 겁니다.

흔히 선택과 집중이 중요하다는 말을 하는데, 정리와 정돈이 잘 되는 사람은 선택도 쉽고 집중하기도 쉽다는 것을 알아야 합니다.

하나님 아버지!

저희로 하여금 예수님처럼 하나님 아버지의 뜻을 이루는 일에만 집중하도록 도와주십시오. 우리의 마음은 늘 분주하여서 하고 싶은 것도 많고 하지 않아도 될 일에 많은 정열을 빼앗기곤 합니다. 늘 주변을 잘 정리하고 또 메모하는 습관을 잘 길러서 항상 생각이 단정하고 단아하며, 아담하도록 도와주시옵소서. 누가 보아도 하나님의 자녀답게 행동하도록 인도하여 주옵소서.

예수님의 이름으로 기도드립니다. 아멘.

서로 원망이 없게 해요

Make each other grumble

(말씀 _ 34)

본문 잠 11:1-5

속이는 저울은 여호와께서 미워하시나 공평한 추는 그가 기뻐하시느니라 교만이 오면 욕도 오거니와 겸손한 자에게는 지혜가 있느니라.

정직한 자의 성실은 자기를 인도하거니와 사악한 자의 패역은 자기를 망하게 하느니라 재물은 진노하시는 날에 무익하나 공의는 죽음에서 건지느니라 완전한 자의 공의는 자기의 길을 곧게 하려니와 악한 자는 자기의 악으로 말미암아 넘어지리라.

외울 말씀

"속이는 저울은 여호와께서 미워하시나 공평한 추는 그가 기뻐하시느니라."
(잠 11:1)

관련 동영상

성공학의 황금률

마틴루터 킹

대접받고 싶으면 대접하라

어쩌면 남을 위해 헌신하는 삶은 겉으로 보기에는 아무런 힘도 없는 것처럼 보입니다. 왜냐하면 원래 봉사(serve)하는 일은 노예(servant)의 일이었기 때문입니다. 또 세상에서 부자가 되거나 높은 사람이 되는 권력은 투쟁해서 얻거나 싸워서 쟁취해야 되는 것으로 보기 때문입니다.

그런데 희생이라는 방법, 또 서로에게 봉사하는 방법은 어쩌면 힘이 작용하는 세상에서 바보같은 선택일지도 모릅니다.

하지만 시장경제는 이 모든 것을 바꾸어 놓았습니다. 재산권을 보장하게 되자, 봉사를 많이 할수록 돈을 더 많이 벌게 되었습니다. 따라서 조금만 멀리 내다 보면 봉사하고 또 조금 더 양보하는 삶이야말로 세상을 되살리는 힘이란 것을 깨닫게 됩니다. 눈에 보이지 않아도 파급 효과가 큽니다. 봉사와 홍익인간의 힘을 깨달은 사람은 숭고한 자기 사명감이 생깁니다. 이런 기업가적 마인드를 가진 사람은 언제나 폭포수처럼 힘찬 에너지가 넘치기 마련입니다.

나를 믿고 가시오

소련은 70년 동안 공산주의라는 붉은 물감을 뒤집어 쓰고 신음하던 나라였습니다. 그런데 그 공산주의를 무너뜨리고 엄청나게 큰 세계의 변화를 시도한 사람이 있었습니다. 그리고 그 영향력으로 나중에 대통령이 됩니다. 그의 이름은 보리스 옐친입니다.

서방의 한 기자가 후일 옐친 대통령에게 질문을 했습니다.

"당신, 어떻게 하나뿐인 목숨을 걸고 탱크를 육탄으로 막을 수 있었습니까?"

"나는 폴란드의 지도자 바웬사(Lech Walesa)의 수기를 읽고 깊은 감동을 받았습니다. 그는 자기의 목숨을 희생해서라도 조국 폴란드에 민주주의를 가져오고 싶었다고 말했습니다."

6월 12일, 1991년

러시아 최초 대통령 탄생

1991년 6월 12일 러시아 연방공화국의 첫 직선 대통령 선거가 실시돼 보리스 옐친 최고회의 의장이 득표율 57%로 당선됐다.

불과 6년 전인 1985년에 중앙 정치 무대에 등장했던 옐친은 급진개혁정책만이 정체된 러시아에 활력을 불어 넣고 경제적 어려움을 극복할 수 있다고 주장하며 미하일 고르바초프의 온건개혁정책을 비판했다. 그는 당선 후 2달 만에 일어난 보수파 공산주의자들의 쿠데타를 물리쳤고 소비에트연방의 해체와 독립국가연합 결성을 선언했다.

그러자 그 서방의 기자는 폴란드로 갑니다. 그리고 바웬사를 만나 질문을 합니다.

"옐친 대통령이 당신에게 영향을 받아 탱크 앞으로 달려가 나를 깔고 지나가라고 말했다고 합니다. 그렇다면 당신은 어디에서 그런 희생의 생각을 갖게 되었습니까?"

질문을 받은 바웬사는 이렇게 말했습니다.

"나는 미국의 흑인 운동을 주도한 마르틴 루터 킹(Martin Luther King, Jr) 목사님으로부터 영향을 받았습니다. 그는 흑인이 공평한 대우를 받지 못하는 것에 대해 온 미국 사람들이 다 깨달을 때까지 비폭력으로 그 사실을 알린 것을 보고 저도 비폭력으로 조국 폴란드 국민들이 공평한 대접을 받도록 제 자신을 내어 놓았습니다."

이 이야기를 들은 기자는 다시 킹 목사님을 연구한 흑인 인권 운동 연구자를 만나 킹 목사님의 정신이 어디에서 근거하여 흘러

8월 28일, 1963년

킹 목사, 워싱턴 대행진

1963년 8월 28일 미국 흑인 인권 운동의 리더 마틴 루터 킹 목사가 이끄는 흑인 20만여 명이 워싱턴에서 평화 행진을 하여 링컨기념관 앞에 모였다.

비폭력 투쟁을 근간으로 폭넓은 지지를 이끌어낸 킹 목사의 인종 차별 철폐 운동은 이 날 "나에겐 꿈이 있습니다!"라는 제목의 역사적 연설로 절정을 이루었다. 킹 목사를 만난 케네디 대통령은 고용 차별 정책의 폐지를 약속했다. 실제로 1년 뒤인 1964년 공공 장소에서의 인종 차별과 고용 차별을 금지하는 민권법이 통과됐다.

나왔느냐고 물었습니다. 그러자 그 연구자는 이렇게 말했습니다.

"마틴 루터 킹 목사님이 인권 운동에 나서게 된 결정적인 동기는 한 무명의 흑인 여자 로자 팍스(Rosa Parks) 때문이었습니다."

차별이 없고 편견이 없는 세상

흑인 인권 운동 연구자가 말한 로자 팍스는 미국에서 노예제는 없어졌지만 여전히 흑백 차별이 있던 1960년대 당시 공평한 세상을 만들기 위해 자신의 몸을 던진 흑인 여성이었습니다.

그녀가 어느 날 버스를 타고 가는데 흑인들이 앉는 자리엔 빈자리가 없었습니다. 그런데 가만히 보니 백인들이 앉는 자리에는 좌석이 비어 있었습니다. 당시 미국의 시내버스는 흑인과 백인의 앉는 자리가 구별되어 있었습니다. 그런데 그녀가 용기있게 백인들의 좌석에 가서 앉았습니다. 그러자 백인 운전수는 로자 팍스에게 "당신은 지금 법을 어기는 거요. 얼른 흑인이 앉는 좌석으로 가시오!"라고 말했습니다. 그러나 팍스는 백인 운전수에게 항거하며 "나도 사람이고, 백인들과 똑같이 요금을 냈소. 그러니 나는 그대로 앉아 있겠습니다."

결국 운전수는 그녀를 경찰서로 데리고 가서 고발을 했습니다. 그녀는 경찰에게 체포당하여 구금되고 말았습니다. 그때로서는 매우 충격적인 사건이었습니다. 링컨 대통령이 흑인들을 노예에서 해방시켜 노예제도는 없어졌지만, 여전히 백인들은 흑인들을 멸시하고 차별하고, 심지어는 앉는 자리까지 구별해 놓았던 것입니다. 결국 이 사건을 계기로 마틴 루터 킹은 미국 전역에서 인종 차별조차도 사라져야 한다는 비폭력 저항 운동을 시작하게 됩니다.

내가 억울하면 남도 억울하다

하나님은 신원(伸冤)을 들어주시는 하나님이십니다. 신원이란 억울한 하소연을 말합니다. 사람은 자신이 억울한 일을 당하면 그걸 해결하려고 열심히 뛰어다닙니다. 하지만 정작 남의 불행이나 어려움에는 귀를 잘 기울이지 않습니다. 그 사람의 입장이 돼보지 않았기 때문입니다. 하지만 킹 목사님은 남에 대한 배려는 결국 사랑이라고 생각했습니다. 그래서 다른 사람의 억울한 일을 풀어주려고 법원에 재판을 신청하고 변호를 했습니다.

위대한 사명이 잉태되는 순간이었습니다. 그렇다면 소련의 공산주의 붕괴라는 역사적인 사건은 한 흑인 여자가 타고 있던 버스에서부터 서서히 일어난 거라는 걸 알 수 있습니다. 한 사람의 사명이 세계를 변화시키는 보이지 않는 힘이 되었습니다. 결국 킹 목사님의 노력으로 1년 뒤에 버스 내에서 인종 차별을 하는

He who passively accepts evil is as much involed in it as he who helps to perpetrate it. He who accepts evil without protesting against it is really cooperating with it.

악을 수동적으로 받아들이는 사람은
악이 영속되도록 거들어주는 사람과 마찬가지로
그에 가담하는 사람입니다.
악에 대항하지 않고 받아들이는 사람은
악의 실현에 실제로 협력하는 것입니다.

것은 헌법 위반이라는 판결이 나오게 됨으로써 진정한 의미의 흑인 해방이 일어나게 되었습니다.

이 판결은 이웃의 불행을 모른 척하고 다른 사람이 당하는 고통에 귀 기울이지 않던 사람들이 자신의 행동을 뉘우치게 만들었습니다. 누군가 나를 공평하게 대해 주길 원하는 것처럼, 다른 사람을 공평하게 대하는 것은 하나님의 자녀가 가져야 할 마땅한 성품입니다.

결론입니다

유명한 신학자 폴 틸리히(Paul Johannes Tillich) 박사는 《궁극적 관심(Ultimate Concern)》이라는 책을 썼습니다. 궁극적 관심이란 바로 종교이며, 종교의 가치는 사랑이라고 했습니다. 그리고 틸리히 박사는 '사람의 존재 목적은 궁극적 관심에 붙잡혀 사는 것'이라고 말했습니다. 즉 하나님과 그분이 보여 주신 사랑을 실천하며 사는 것이야말로 인간의 궁극적 목적이라고 했습니다.

저는 여러분들에게 묻고 싶습니다. 여러분들의 궁극적 관심이 어디에 있는지 돌아보라고 말입니다. 만약 그 관심이 현실에만 있다면 쾌락주의자요, 물질에만 있다면 속물입니다. 진정한 성도는 봄에는 여름을 생각하고 여름에는 겨울을 생각해야 하듯이, 땅에서 살지만 하늘을 생각해야 하고 현실에 살지만 영원을 생각해야 합니다. 또 젊어서는 늙었을 때를 생각하고, 그 다음을 생각해야 합니다. 그렇게 좀 더 궁극적인 일에 관심을 가질 때 그 사람의 삶의 질은 달라집니다.

하나님 아버지!

무엇보다 제 안에 궁극적인 관심이 생기게 하시니 감사합니다. 저의 궁극적인 관심은 하나님 나라의 백성이 되는 것이며, 하나님의 자녀로 사는 겁니다. 또한 현실에 안주하며 쾌락을 쫓아가는 것이 아니라, 영원을 생각하며 살게 하심도 감사합니다. 그리고 저의 어려움이나 억울함이 풀리는 것이 중요하듯이 타인의 아픔과 억울함에 대해서도 귀 기울이고 공평을 배워가게 하시니 감사합니다. 하나님 안에서 항상 예수님의 형상을 회복하고 성품적으로 공평하신 하나님을 닮게 하여 주옵소서. 예수님의 이름으로 기도드립니다. 아멘!

둘 다 같아요

Both are equal

(말씀 _ 35)

| 본문 시 96:10 |

모든 나라 가운데서 이르기를 여호와께서 다스리시니 세계가 굳게 서고 흔들리지 않으리라 그가 만민을 공평하게 심판하시리라 할지로다.

외울 말씀

"공평한 저울과 공평한 추와 공평한 에바와 공평한 힘을 사용하라 나는 너희를 인도하여 애굽 땅에서 나오게 한 너희의 하나님 여호와이니라."(레 19:36)

관련 동영상

최부자

공평을 간절히 바라는 세상

빌게이츠가 마운틴휘트니고등학교 학생들에게 해준 유명한 인생 충고가 있습니다.

“인생이란 원래 공평하지 못하다. 그런 현실에 대하여 불평할 생각하지 말고 받아들여라. 세상은 네 자신이 어떻게 생각하든 상관하지 않는다. 세상이 너희들한테 네가 스스로 만족하다고 느끼기 전에 무엇인가를 성취해서 보여줄 것을 기대하고 있단다.

학교 선생님이 까다롭다고 생각되거든 사회로 나가서 직장 상사의 진짜 까다로운 맛을 한번 느껴봐라. 햄버거 가게에서 일하는 것을 수치스럽게 생각하지 마라. 너희 할아버지는 그 일을 기회라고 생각하였다. 네 인생을 네가 망치고 있으면서 부모 탓을 하지 마라. 불평만 일삼을 것이 아니라 잘못한 것에서 교훈을 얻어라. 학교는 승자나 패자를 뚜렷이 가리지 않을지 모른다. 어떤 학교에서는 낙제 제도를 아예 없애고 쉽게 가르치고 있다는 것을 잘 안다.

그러나 사회 현실은 이와 다르다는 것을 명심하라. 인생은 학기처럼 구분되어 있지도 않고, 여름 방학이란 것은 아예 있지도 않다. 네가 스스로 알아서 하지 않으면 직장에서는 가르쳐 주지 않는다. TV는 현실이 아니다. 현실에서는 커피를 마셨으면 일을 시작하는 것이 옳다.

공부밖에 할 줄 모르는 ‘바보’한테 잘 보여라. 사회에 나온 다음에는 아마 그 ‘바보’ 밑에서 일하게 될지 모르기 때문이다.”

어떻게 보면 아직은 어린 고등학생들에게 세상의 냉혹한 현실을 적나라하게 가르친다고 이야기할지 모릅니다. 하지만 세상은 불공정해 보이고 불공평해 보이는 것이 사실입니다. 따라서 주님이 이 세상에 다시 재림하시기 전에는 완전히 공평한 세상이 오지 않을 겁니다. 하지만 하나님을 믿는 하나님의 자녀들은 그분의 성품을 배워 공평함과 공정함으로 세상을 판단하고 다스려나가야 합니다.

나눔의 철학을 실천한 우리 시대 진정한 1%

오늘날 영남대학교는 대구 지역에서 가장 명문 대학으로 손꼽히고 있습니다. 그 영남대학교는 경주에서 가장 큰 부자였던 경주 최씨 집안의 사람이 설립했던 대구대와 최해청이 세운 청구대가 합쳐져서 만들어졌다는 사실을 아는 사람은 많지 않습니다.

권불십년(權不十年)이란 말이 있습니다. 아무리 대단한 권력도 십년을 유지하기 힘들다는 뜻입니다. 비슷한 개념으로 부불삼대(富不三代)라는 말도 있습니다. 부(富)는 3대를 유지하기 힘들다는 뜻입니다. 세계적으로 가장 부자였던 이탈리아의 메디치 가도 겨우 200년을 존속했을 뿐입니다. 하지만 한국의 부자 경주 최씨는 무려 300년간 만 석 이상의 부를 유지했던 것으로 알려져 있습니다.

단순히 재테크만 잘 한다고 부자가 되는 건 아닙니다. 최씨 가문이 300년 이상 부를 유지할 수 있었던 것은 그들만의 철학이 있었기에 가능했습니다. 경주 최씨 가문에는 대대로 전해 내려오는 가훈이 있습니다.

그중에 몇 가지만 살펴보면 다음과 같습니다.

첫째, 과거는 보되 진사 이상을 하지 말라. 권력이란 칼날 위에 서 있는 것과 같기 때문에 가능한 멀리 해야 한다는 의미였습니다. 너무 높은 벼슬에 올랐다가 자칫 잘못해 당쟁에라도 휘말리게 되면 집안이 몰락할 수도 있었기 때문이었습니다.

둘째는, 함께 일하고 일한 만큼 가져가라. 임진왜란 이후 국가는 백성들에게 황폐해진 국토를 개간하라고 했습니다. 하지만 노력에 비해 가져가는 것이 적어 사람들은 별다른 관심을 보이지 않았습니다. 그런데 경주 최씨는 중간 관리인인 마름을 두지 않고 중간 착취의 여지를 없애고 소작인들과 직접 교감했으며, 흉년에는 거대한 밥솥에 밥을 지어 음식 나누기를 하였습니다. 그리고 거름을 주는 시비법과 모내기를 하는 이앙법을 시행하는 등 과학기술을 적용하여 생산량을 크게 늘렸습니다. 그 결과 수많은 유랑인과 소작인들이 기꺼이 최씨 가문 사람들과 일하기를 원함으로써 그들의 부는 계속될 수 있었습니다.

셋째로, 겸손하고 함부로 부를 자랑하지 말라. '내 돈 내가 쓰는데 무슨 상관이냐'는 생각으로 어려운 사람을 염두에 두지 않

그들의 삶을 본받으려면...

경주 최 부자의 수신제가(修身齊家)

부불삼대(富不三代), 권불십년(權不十年)이란 말이 있듯이 부(富)와 권력은 오래도록 유지해 나가기 어렵다. 그러나 최 부자 가문은 육연(六然)과 육훈(六訓)을 통해 자신을 스스로 지키고 집안을 다스렸기 때문에 300년 이상 부자로서 가문을 유지할 수 있었다.

여섯 가지 수신(修身) (육연, 六然)

어떤 상황에 처했을 때 가져야 할 올바른 정신 자세를 구체적으로 제시한다.

◉ 자처초연(自處超然)

스스로 초연하게 지내고(세속을 초월하는 경지)

◉ 대인애연(對人靄然)

남에게 온화하게 대하며(누구에게나 평등한 마음 가짐)

◉ 무사징연(無事澄然)

일이 없을 때 마음을 맑게 가지고(잡념 자제)

◉ 유사감연(有事敢然)

일을 당해서는 용감하게 대처하며(임전무퇴를 의미)

◉ 득의담연(得意淡然)

성공했을 때는 담담하게 행동하고(경거망동을 삼가란 의미)

◉ 실의태연(失意泰然)

실의에 빠졌을 때는 태연히 행동하라(실패는 성공의 어머니라는 교훈을 의미)

고 자기 맘대로 물쓰듯 돈을 쓰는 졸부와는 대조적이었습니다. 최씨 집안의 며느리들은 결혼 후 3년 동안 무명옷만을 입어야 했습니다. 그렇다고 그들이 구두쇠였던 것은 아닙니다. 손님 대접을 후하게 하는 걸로 유명했습니다. 1년 소득의 3분의 1 정도를 빈민구제를 위해 썼다니 참 대단한 일이지 않습니까? 덕분에 좋은 정보도 얻을 수 있었고, 인심을 얻어 어려운 위기도 잘 극복할 수 있었습니다. 경주 최씨의 마지막 최준 씨가 독립 운동을 하다 파산 위기에 처하게 되었는데, 당시 아리가란 일본인 식산(殖産) 은행장(현재의 산업은행의 전신)의 도움으로 되살아날 수 있었습니다. 그가 경주 최씨를 도운 이유는 소비자에게 봉사하는 기업가의 가치를 잘 알고 있었고, 그런 면에서 경주 최씨가 모범적이었기 때문입니다.

재물이냐 명예냐?
- 봉사를 통해서 얻는 재물이 명예로운 것이다

재물을 가질 것이냐 명예를 가질 것이냐 하는 질문을 하는 경우가 많습니다. 여기에는 재물은 나쁜 것이고 명예는 좋은 것이라는 전제가 암묵적으로 깔려 있습니다. 그러나 자유로운 시장경제 하에서는 남을 돕는 사람이 부를 얻게 됩니다. 따라서 시장경제에서 부를 얻은 사람들은 대체로 남들에게 좋은 것들(goods)을 제공하고, 좋은 일들(services)을 많이 한 사람인 경우가 많습니다. 그래서 시장경제에서의 부는 대체로 명예로운 것일 수밖에 없습니다. 약탈이나 도둑질, 사기를 통해서 얻은 부는 명예롭지 않겠지만, 남들이 필요한 것들을 제공해 주는 것은 얼마나 아름다운 모습입니까?

시장경제에서 기업가들은 남을 위해서 좋은 것들(goods)을 제공하는 것이 습관화되어 있기에, 자기 일을 통해서 번 부도 어려운 이웃들을 위해서 내놓는 경우가 많습니다. 사회주의 사회에서는 자선이라는 것을 눈을 씻고 찾아볼래야 찾아볼 수도 없지만, 자유 시장경제에서는 기업가들이 어려운 이웃들을 위해서 막대한 기부를 하는 경우를 많이 볼 수 있습니다.

시장경제에서의 이러한 기부는 노예제 사회나 봉건제 사회에서 자기가 무력으로 차지했던 영토와 재산을 지키기 위해 앞장서서 싸웠던 '엄청나게 무서운 말인' 귀족들의 의무(노블레스 오블리쥬, noblesse oblige)와 달리 반대 급부가 없는 것입니다. 노블레스 오블리쥬는 사실 강도끼리의 의무인 것이지만, 시장경제에서의 기부와 자선이야말로 정말 명예로운 것입니다.

경주 최씨는 부에 대한 모든 것을 알려주고 있습니다. 어떻게 일구어야 하는지, 어떻게 유지하고 발전시켜야 하는지, 마지막으로 어떻게 써야 하는지를 모두 알려주고 있습니다.

미국에서 철강산업을 크게 일으켜 '철강왕'이라고 불렸던 성공한 기업가인 카네기는 '부자인 채로 죽는 사람이 세상에서 제일 바보'라고 말했습니다. 그래서 그는 카네기재단을 설립하여 많은 사회 봉사를 하였는데, 그런 의미에서 경주 최씨는 진정한 부자가 어떤 사람인지를 보여주었다는 생각이 듭니다.

우리 성도들은 이런 아름다운 부자들이 되었으면 좋겠습니다. 오늘 말씀을 공부하는 여러분들이 이런 부자가 되었으면 좋겠습니다. 마음이 부유한 사람만이 물질의 풍요로움을 제대로 누릴 수 있기 때문입니다.

불공평한 세상, 공평하신 하나님

로드니 L. 쿠퍼가 한 이야기입니다. 인생을 어떻게 살 것인가에 대한 지침이라고 할 수 있는 '세상의 규칙들'이 있습니다. 이 규칙의 첫 번째 내용은 "인생은 공평하지 않다"입니다. 사실 공평이라는 개념은 관점에 따라 차이가 있을 수 있습니다. 그러나 예수님의 인생은 분명히 공평한 인생이 아니었습니다. 예수님께서는 이 땅에 오셔서 오직 선한 일만을 하셨습니다. 우리를 향한 하나님의 사랑을 가르쳐 주셨습니다. 하지만 가장 가깝다고 하는 친구 중 하나는 예수님을 배반했습니다. 유대 땅에서 최고의 종교적인, 그리고 법적인 권위를 지니고 있던 산헤드린은 공정한 재판을 해주기는커녕 비밀리에 예수님을 체포해서 불법적인 소송을 감행해 버리고 말았습니다. 그들은 예수님께 해가 되는 증거를 조작해 만들어내기까지 했습니다. 예수님에 대한 재판과 선고에서 공평한 것이라고는 아무것도 없었습니다.

그러나 예수님께서 당하신 모든 일을 직접 목격한 베드로는 "죄가 있어 매를 맞고 참으면 무슨 칭찬이 있으리요. 오직 선을 행함으로 고난을 받고 참으면 이는 하나님 앞에 아름다우니라. 이를 위하여 너희가 부르심을 입었으니 그리스도도 너희를 위하여 고난을 받으사 너희에게 본을 끼쳐 그 자취를 따라오게 하려 하셨느니라"고 격려하고 있습니다(벧전 2:20~21).

선한 일을 하고도 해를 받는 경우가 많습니다. 그러나 이것은 일시적입니다. 결국 이것은 복으로 바뀌게 됩니다. 모든 것을 보시며 알고 계시는 분이 우리를 바라보고 계시기 때문입니다. 그분께서는 정확하게 모든 것을 기록하시며 공평하게 보상해 주실 겁니다.

결론입니다

인생은 공평해 보이지 않는 것은 사실입니다. 예수님의 인생 역시 분명히 공평하지 않았습니다.

그렇다고 내가 불공평한 대접을 받았다고 그대로 되돌려 주겠다고 하는 것은 하나님의 자녀가 가질 마음의 성품이 아닙니다. 우리는 예수님의 십자가를 생각하며, 나부터라도 희생을 실천하는 사람이 되겠다고 결심하고 순종해야 합니다. 최종적으로 심판의 날에 하느님께서 공평하게 보상해 주실 겁니다. 공평한 하나님을 믿고 예수님을 본받아 희생적인 주의 자녀가 되기를 기도합시다.

모든 상황과 문제 앞에서 욱하는 인간의 혈기로 풀기보다 예수님을 의지함으로써 하나님의 뜻을 발견하게 하소서. 사랑과 희생으로 하나님의 뜻을 이뤄가신 예수님의 모습을 닮기 원합니다. 공평하신 주 하나님 아버지, 바른 길로 인도하여 주시고, 보호하여 주신 은혜를 감사드립니다. 공평을 실천하여 이웃에게 기쁨과 희망을 주는 복의 통로가 되게 하시고, 우리나라가 공평하고 공정한 나라, 밝은 사회가 실현되게 하옵소서. 먼저 크리스찬인 저희들부터 하나님을 사랑하고 공평을 실천하는 마음을 더 하여 주옵시고, 예수님과 복음을 위해 헌신하게 하옵소서.

우리 구주 예수님의 이름으로 기도드립니다. 아멘

서로 행복해 지는 지름길

A shortcut to happiness

(말씀 _ 36)

| 본문 잠 8:20- 21 |

나는 의로운 길로 행하며 공평한 길 가운데로 다니나니 이는 나를 사랑하는 자로 재물을 얻어서 그 곳간에 채우게 하려 함이니라.

외울 말씀

"나는 의로운 길로 행하며 공평한 길 가운데로 다니나니 이는 나를 사랑하는 자로 재물을 얻어서 그 곳간에 채우게 하려 함이니라."(잠 8:20- 21)

관련 동영상

송명희

공평하신 하나님

하나님은 참으로 공평하신 하나님이십니다. 그래서 우리도 공평한 길로 가야 합니다. 하나님은 의인에게나 악인에게나 똑같이 햇볕과 비를 내려주시고, 누구나 똑같이 숨 쉬도록 공기를 주셨습니다. 하나님은 가난한 자에게나 부자에게나 똑같이 시간을 주셨습니다. 그런데 사람들은 정말 자신에게는 아무것도 없다고 불평합니다.

또 어떤 사람은 "왜 우리는 이렇게 돈이 없는 거야?" 또 어떤 이는 "세상은 너무 불공평해. 하나님이 있다면 누구는 나면서부터 부자이고, 누구는 나면서부터 가난하게 만들지는 않았어야지." 사람들이 가지고 있는 환경, 얼굴, 재능, 욕망, 능력, 생각 모두 다릅니다. 사람들은 하나같이 "이건 너무 불공평해." 하고 불평합니다.

그러나 정말 누구에게나 공평한 것이 두 가지 있습니다.

그 하나는 '시간'입니다. 한 사람에게 하루에 무조건 24시간이 주어집니다. 부자든 가난한 사람이든 미녀든 추녀든 하루는 24시간입니다.

또 하나는 누구에게나 '죽음'이 온다는 것입니다. 이 세상에서 어떻게 살았든 반드시 '끝'이 온다는 뜻입니다. 가지고 있는 모든 것을 내려 놓고 이 세상을 떠날 순간이 누구에게나 다가오며, 떠날 때는 빈손이라는 사실입니다.

더 볼 것 없이 이 두 가지만 봐도 하나님은 너무나도 공평하신 분이십니다. 안 그렇습니까?

그런데도 '인생은 공평하다'는 말에 공감하는 사람보다는 불공평하다는 말에 공감할 사람이 많습니다. 정말로 이 세상이 공평하다면 빈부의 격차가 왜 더 벌어지고 있는가. 그러나 시장경제 사회에서 빈부 문제도 사실 잘 살펴 보면 남에게 봉사를 많이 한 사람일수록 혹은 부모님이 남에게 봉사를 많이 한 경우에 잘 살고 있다는 것을 알 수 있습니다. 나는 오늘 얼마나 많은 사람에게 봉사를 했나? 그들이 필요로 하는 것을 해결해 주기 위해 얼마나 많은 노력을 했나? 이것을 살펴 보아야 합니다. 분명 삶은 공평하지 않다는 것은 다 알고 있습니다. 그러나 이상한 일은 처음에는 불공평한 조건들로 피해 의식을 갖고 살았는데, 나이가 들수록 결국은 평등한 것이 인생이라는 사실을 알게 됩니다. 젊을 때는 나와 다른 것이 많은 것 같으나 나이가 들수록 비슷비슷해집니다.

어떤 마을에 불평을 잘하는 한 청년이 있었습니다. 하루는 일을 마치고 잠시 쉬러 그늘을 찾아 가는 도중 수박밭을 지나게 되었는데, 커다랗게 열린 수박을 보며 이렇게 말했습니다.

"하나님도 너무하시군. 저렇게나 큰 수박을 저토록 얇은 줄기에 달아놓으시다니, 도저히 이해가 되지 않아."

수박밭을 지나 커다란 큰 나무를 발견한 청년은 나무 그늘에 누워 잠시 쉬려고 했는데, 이번에는 무성하게 열린 밤톨들이 눈에 띄었습니다.

"쳇, 정말이지 하나님은 앞뒤가 안 맞는 분이라니까. 이렇게 커다란 고목에는 저렇게 작은 밤톨이 달려 있다니 이게 어디 가당키

나 하냔 말이지. 나라면 이 고목에다가 수박을 달아 놓았겠어."

청년이 그렇게 불평을 하는 도중 머리 위로 밤톨이 하나 떨어졌습니다. 그순간 청년은 깜짝 놀라 말했습니다.

"하나님 죄송합니다. 만약 저게 수박이었다면 전 지금 죽었을지도 모르겠군요."

하나님은 우리에게 필요한 모든 것을 이미 주셨습니다. 우리의 외모·성격·태어난 환경은 모두 태초부터 하나님이 계획하신 합당한 것들이기 때문입니다. 하나님의 계획을 미리 알 수는 없기에 지금 당장은 초라해 보이고 맘에 들지 않을 수도 있습니다. 그러나 하나님은 실수하지 않으십니다. 우리의 지금 모습을 통해 놀라운 일들을 실행하시고 큰 영광을 받으실 겁니다. 하나님의 공평하심과 그분의 계획을 100% 신뢰하십시오.

언젠가는 평등해진다

이런 이야기가 있습니다.

40대는 남녀 간의 성(性) 차이가 별로 없게 되고,

50대는 공부한 사람이나 안 한 사람이나 지식이 평등해지고,

60대는 외모가 예쁜 사람이나 안 생긴 사람이나 별 차이가 없게 되고,

70대는 건강이 비슷해지고,

80대는 재물(돈)이 많은 사람이나 없는 사람이나 먹고 입는 것이 비슷해지고,

90대는 산 사람이나 죽은 사람이나 생사가 평등하다.

결국 죽음 앞에서 만인은 평등하다는 뜻입니다. 누구에게나 예측 없이 불현듯 다가오는 것이 죽음입니다. 그리고 죽음 이후에는 살아 생전의 행위대로 아주 공평한 심판이 있습니다.

“한 번 죽는 것은 사람에게 정해진 것이요, 그 후에는 심판이 있으리니”(히 9:27)

불공평한 대접을 받는 것도 잠시입니다. 그리고 남을 불공평하게 대해도 금방 끝이 납니다. 하나님의 선하심 때문에 결국은 공평해지고 죽음 앞에서 평등해지기 때문입니다.

송명희 시인의 시를 소개합니다.

나 가진 재물 없으나
나 남이 가진 지식 없으나
나 남에게 있는 건강 있지 않으나
나 남이 없는 것 있으니
나 남이 못 본 것을 보았고
나 남이 듣지 못한 음성 들었고

나 남이 받지 못한 사랑 받았고
나 남이 모르는 것 깨달았네
공평하신 하나님이
나 남이 가진 것 나 없지만
공평하신 하나님이
나 남이 없는 것 갖게 하셨네

송명희(1963년생) 시인은 태어날 때 의사의 실수로 뇌를 다쳐 중증장애를 입게 됐지만, 그 장애를 통해 가장 순수하게 예수를 증거해 왔습니다. 휠체어에 몸을 싣고 지금까지 1,500회 이상의 국내외 집회에 나갔으며, 25권의 책을 냈고, 100곡이 넘는 노래에 가사를 담았습니다. 온몸이 심하게 뒤틀리고 팔다리가 마비됐어도 숨이 끊어지는 날까지 주님을 증거하기 위해 최선을 다합니다. 한 글자를 쓰는 데 30분이 걸리든 1시간이 걸리든 문제가 되지 않습니다. 송명희 시인은 어려움을 어렵게 여기지 않았습니다. 자신의 어려움에도 하나님의 뜻이 있다는 믿음 때문입니다. 수많은 사람들이 일그러진 모습으로 열심히 살아가는 그녀를 통해 새 희망을 찾았습니다. 그녀의 알아들을 수 없는 말을 통해 주님의 품으로 돌아온 사람도 부지기수입니다. 그래서 그녀는 어느 누구보다 훌륭한 문화 선교사였습니다.

"힘들고 어려워도 주님과 함께 하면 문제가 되지 않는다."고 그녀는 거듭 강조합니다. 태어나면서부터 남의 도움 없이는 한순간도 살 수 없는 장애인인데 "하나님은 공평하시다."라고 말할 수 있었습니다.

공평한 하나님

좋은 글을 많이 써 주신 정민 선생님은 이렇게 말합니다.

"뿔이 있는 소는 날카로운 이빨이 없다. 날카로운 이빨을 지닌 범은 뿔이 없다. 날개 달린 새는 다리가 두 개뿐이다. 예쁜 꽃치고 열매가 변변한 것이 없다. 열매가 귀한 것은 대개는 꽃이 시원찮다. 좋은 것만 골라서 한 몸에 다 지니는 이치는 어디에도 없다."

사랑하는 여러분!

뛰어난 재주와 부귀영화는 함께하지 않는 경우가 더 많습니다. 한꺼번에 누리려 하지 마십시오. 지금 가졌던 것마저 잃을 수도 있습니다. 다 가지려 들지 마십시오. 손에 든 것을 놓아야 새 것을 쥘 수 있는 법입니다.

세종대왕 시절에 정갑손이라는 사람이 함경도에 관찰사로 파견되었습니다. 그는 먼저 백성들을 잘 다스릴 수 있는 뛰어난 관리를 뽑기 위해서 시험을 치렀습니다.

그런데 합격자 명단을 보고는 시험을 관리하던 책임자들을 모두 불러 엄하게 야단을 쳤습니다.

"여기 어째서 내 아들의 이름이 있는가? 내 아들이 평소 공부를 잘하지 못했다는 것은 누구보다 내가 잘 아는데, 그대들이 나를 속일 수 있는가? 나의 비위를 맞추려고 이랬다면 부정을 저지른 것이니 잘못이고, 내 아들의 실력을 좋게 보았다면 사람을 보는 눈이 없으니 그 또한 잘못이네. 한 번 더 기회를 줄 테니 정말 제대로 된 사람을 뽑아오게."

이 일로 정갑손은 모든 일에 청렴하고 공정한 관리로 소문이 나 나중에 예조판서와 대사헌 같이 높은 벼슬에까지 올라 세종대왕을 보필했습니다.

모자란 재능을 과대평가하는 것도 문제지만, 높은 재능을 과소평가하는 것도 문제입니다. 공적인 일을 사적인 생각으로 처리하지 말고, 나보다 나를 더 잘 아시는 하나님께 모든 것을 맡기고 부르심에 언제나 순종하는 믿음의 사람이 되십시오. 반드시 주님께서 좋은 것으로 채워주실 겁니다.

실천 : 다문화 가족과 장애우들을 공평하게 대하기

이번 주는 주님의 공평을 실천하는 주간이 되어 보면 어떨까요?

특히 학교나 이웃에 다문화 가족, 혹은 탈북자 가족들이 있을 겁니다. 그리고 장애를 가진 친구들이 있을 겁니다. 이들을 찾아가 사랑을 나누고 그들이 왕따를 당하지 않도록 적극적으로 친구가 되어주는 것은 어떨까요?

이번 주는 공평과 정의를 실천할 작은 계획을 세워 실행해 보고, 그것을 동영상으로 찍어 제출해 봅시다.

결론입니다

교회인 주님의 자녀들은 진정 마지막까지 공평과 정의를 실천해야 할 보루입니다.

교회에 대하여 연약한 사람들이 종교를 의지하러 가는 곳이라고 비하하며 무시했던 아인슈타인이 활동할 당시에 독일에서 나치스(민족사회주의 운동)가 일어났습니다.

그때 아인슈타인이 이런 말을 했습니다.

"나는 대학의 지성인들을 기대했다. 그러나 대학 교수들은 즉

시 나치즘(민족사회주의)에 무릎을 꿇고 아첨했다. 그들은 나치즘이 주장하는 잘못된 인종 이론을 마치 옳은 것인 양 떠들어댔다. 또 나는 신문과 언론인들을 기대했다. 그러나 신문도 얼마 지나지 않아 필봉을 놓았다. 그런데 오직 교회만이 독재자에 항거하여 수많은 기독교인들이 줄지어 감옥으로 향했다. 나는 교회에 한없는 찬사를 보낸다."

교회가 불의하면 이 사회는 아예 소망이 없습니다. 하나님의 정의가 실현되어야 할 교회조차 불의하다면 이미 다른 집단은 생각해 볼 필요조차 없을 겁니다. 우리의 교회가 항상 정의롭고 공의롭기를 바랍니다. 그래야 사회를 향해 광야의 소리를 발할 수 있습니다. 오직 교회만이 주님의 공평과 정의를 실천할 수 있는 마지막 희망입니다.

공평하시고 공의로우신 주님!

세상 사람들이 비록 이 세상이 아무리 불공평하다고 주장해도 주님은 시간과 기회를 주시면서 오늘도 저에게 프로포즈를 하고 계심을 깨달으면서도 저는 아직까지도 그렇게 어리석게 살아가고 있습니다. 이제 이 종의 인생은 죽지 못해 사는 것이 아니요, 살고 싶어도 죽을 수밖에 없는 인생이 아닌, 죽음이 있기에 인간임을 알고 그 일에 초점을 맞추어 살아가게 하소서. 남은 생애는 오직 주님께 영광을 돌리며, 많은 사람을 옳은 길, 의로운 길로 인도하며 살아가게 하옵소서.

우리 구주 예수님의 이름으로 기도드립니다. 아멘

마음이 넓으면 반대가 없어요

If not heart is wide opposition

(말씀 _ 37)

| 본문 빌 4:5 |

너희 관용을 모든 사람에게 알게 하라 주께서 가까우시니라.

외울 말씀

"너희 관용을 모든 사람에게 알게 하라 주께서 가까우시니라."(빌 4:5)

관련 동영상

아브라함

관용

태국광고 〈관용〉

가장 나쁜 사람은 용서를 모르는 사람이다.

포프가 말했습니다. "과실을 범하는 것은 인간적이요, 용서를 하는 것은 신적이다."

즉 관용을 베풀 줄 아는 사람은 하나님의 성품을 가진 사람이란 뜻입니다. 관용은 우리 생각에서 볼 때 위대한 선물입니다. 헬렌 켈러는 "자전거를 탈 때 균형을 잡는 것처럼 뇌는 균형 있는 배려를 요구한다."고 했습니다. 그래서 관용은 정의의 꽃이며, 관용은 타인에 대한 인내입니다.

볼테르가 말한 것처럼 우리는 모두 약함과 과오로 만들어져 있습니다. 우리는 어리석음을 서로 용서할 때 가장 아름답습니다. 이것은 자연의 제일 법칙이기 때문입니다. 그래서 "교육의 최고의 성과는 관용"(헬렌 켈러)이라고 합니다.

관용을 알게 하라

관용이라는 말은 헬라어로 하폴로테스입니다. 양보하다, 점잖다, 온순하다는 뜻입니다. 온유하고 순하다는 말이 그 안에 있습니다. 또 친절하다, 참을성이 있다라는 뜻도 포함되어 있습니다.

옛날 초해왕이라고 하는 분이 아침을 먹을 때 음식 속에 들어 있는 거머리를 발견했습니다. 임금님이 거머리를 발견했으니 야단났지 않습니까. 이 임금님은 참 지혜로운 분이셨습니다. 거머리를 보는 즉시 채소에 싸서 말아가지고 먹어버린 겁니다.

만약 왕이 화를 내며 "왜? 이걸 누가 이랬냐?" "감히 왕의 밥그

릇에 이런 일이 일어나도록 했느냐?" 이렇게 꼬투리를 잡으면 최소한 몇 명이 바로 죽으니까. 그 요리사가 살 수 있었겠습니까! 그래서 자기가 먹고 전부를 살려 주게 되었던 겁니다. 얼마나 관용이 뛰어납니까. 왕이라도 덕이 많은 왕이 있고, 덕으로 치세하는 분이 칭송을 받는 법입니다.

전쟁과 평화, 톨스토이 성경으로 유명한 톨스토이는 말합니다. "그대에게 죄를 지은 사람이 있거든, 그가 누구이든 그것을 잊어버리고 용서하라. 그때에 그대는 용서하는 것의 행복을 알 것이다. 우리에게는 남을 책망할 수 있는 권리는 없다."

남을 존중하고 소중히 하며 넉넉히 용서하는 마음, 타인의 미숙함을 관용하는 아량, 이러한 성격의 소유자는 많은 사람을 끌어당기는 힘과 능력을 모두 소유한 것입니다. 남을 질시하는 사람은 끝내 친구를 사귀지 못할 것이고, 자신을 용서하는 사람은 자신의 허물을 고치지 못합니다.(명심보감)

원수도 포용하라

빅토르 위고의 명작 《레 미제라블》에는 두 사람의 주인공이 등장합니다. 한 사람은 가난해서 빵을 훔쳐 투옥되었다가 여러 차례 탈옥을 시도했던 장발장, 또 한 사람은 그런 그를 끈질기게 따

라다니며 평생을 괴롭히는 형사 자베르입니다. 프랑스에서 1789년에 이어 1830년에 다시 혁명이 일어난 뒤 장발장을 추종하던 청년대원들은 눈엣가시 같던 형사 자베르를 잡아와 총살시키려 하였습니다. 그러나 장발장은 그를 풀어줍니다.

충격을 받은 자베르는 장발장을 향해 외칩니다.

"당신이야말로 나를 가장 죽이고 싶을 텐데 왜 나를 살려줍니까?"

그러자 장발장은 이렇게 대답합니다.

"이 세상에는 넓은 것이 많이 있소. 바다가 땅보다 더 넓고, 하늘은 그보다 더 넓소. 그러나 하늘보다 더 넓은 것이 바로 용서라는 관대한 마음이오."

장발장의 말에 차갑고 냉혹한 자베르 형사의 얼굴에 뜨거운 눈물이 흘러내립니다. 얼어붙은 골짜기는 봄바람만이 녹일 수 있습니다. 모질어진 가슴은 관대한 마음만이 녹여줄 수 있습니다.

버나드 쇼가 말했습니다.

"당신에게 퍼부어지는 비난을 포용하라. 그러면 그 비난이 영광으로 둔갑할 때가 있다."

사람됨의 큰 그릇은 다른 이의 모자람을 얼마나 관대히 용납하며 용서해 주는가에 달려 있습니다.

"태산은 어떤 작은 흙덩이도 모두 쌓아 올려 왔기에 저런 고산이 되었고, 강이나 바다도 어떤 작은 흐름도 고르지 않고 받아들였기에 저와 같이 깊게 된 것입니다."

《사기(史記)》에 나오는 글귀입니다.

아브라함의 관용

수메르의 우르 출신 아브라함이 수메르를 떠나 찾아왔던 약속의 땅 가나안을 기근 때문에 다시 떠나 애굽에 갔을 때 사래를 잃을 뻔했습니다. 그러나 신실하신 하나님은 사래를 지켜주셨을 뿐 아니라 많은 재산을 얻게 하셨습니다. 아브라함은 큰 부자가 돼서 가나안 땅에 돌아왔습니다. 그런데 너무 재산이 많은 것이 문제였습

니다.

창세기 13:6~7절에 보면 “그 땅이 그들의 동거함을 용납하지 못하였으니 곧 그들의 소유가 많아서 동거할 수 없었음이라 그러므로 아브라함의 가축의 목자와 롯의 가축의 목자가 서로 다투고 또 가나안 사람과 브리스 사람도 그 땅에 거하였는지라”고 말씀하고 있습니다. 즉 조카와 다툼이 생긴 것입니다.

보통 사람 같으면 “네가 어찌하여 내 덕에 잘 사는 줄도 모르고 감히 다툼을 일으키느냐! 나는 너의 꼴도 보기 싫다. 내 덕에 얻은 모든 것을 내어 놓고 내 집에서 나가라!”고 했을 겁니다.

하지만 하나님의 관용을 체험한 아브라함은 문제 해결을 위해 조카 롯을 불러 이렇게 말합니다.

“나를 떠나라. 네가 좌하면 나는 우하고, 네가 우하면 나는 좌하리라”

이처럼 아브라함은 조카와 분쟁을 해소하기 위해 너그럽게 양보합니다. 그러나 롯은 아브라함에게 양보하지 않고 당장 보기에 물이 넉넉한 좋은 땅을 택해서 떠납니다. 그러나 그 땅은 하나님 보시기에 악한 사람들이 사는 죄악의 땅이었습니다. 롯은 아브라함에게 양보하지 않은 잘못을 했을 뿐 아니라 당장 살기 좋은 곳을 선택하는 실수를 범했습니다.

하나님은 롯을 떠나보내고 혼자 남은 아브라함에게 나타나셔서 땅과 자손을 약속하십니다.

"너는 눈을 들어 너 있는 곳에서 동서남북을 바라보라. 보이는 땅을 내가 너와 네 자손에게 주리니 영원히 이르리라"(창 13:14~15절)

롯은 보기에 좋은 땅을 차지했지만 아브라함은 '땅과 자손'에 대해 하나님으로부터 약속 받았습니다.

"욕심이 잉태한즉 죄를 낳고, 죄가 장성한즉 사망을 낳느니라"는 말씀처럼 욕심을 따라간 롯은 나중에 소돔과 고모라 성이 멸망할 때 모든 소유물뿐 아니라 아내마저 잃고 맙니다. 그러므로 하나님의 역사를 믿는 하나님의 자녀들은 눈에 보이는 욕심을 따라 살면 안 됩니다. 특히 가족이나 친척 중에 믿지 않는 사람과 물질적 이해 관계가 생기면 아브라함처럼 먼저 양보해야 합니다. 그러면 하나님께서 기뻐하시고 더 좋은 것으로 갚아주십니다.

결론입니다

인간의 3대 욕망은 오래 사는 것, 부자 되는 것, 복수하는 것입니다. 사람들은 이 3대 욕망 때문에 너무나 쉽게 상처를 받고 또 복수할 마음을 품습니다. 물질적으로 크게 넉넉해졌지만, 관용과 배려가 더 작아지고 있는 이유도 그렇습니다. 사람들의 내면에 평안이 없고, 서로 평강을 북돋지 않기 때문입니다. 평화는 삶의 바탕인데도 사람들은 평화를 추구하는 일을 뒤로 미루고 맙니다.

예수님께서는 산상수훈(山上垂訓)에서 평화를 위해 일하는 사람을 '하나님의 자녀'라고 했습니다. 우리 시대 교회는 산상수훈을 소홀히 하고 있습니다. 복음은 평화의 옷을 입고 있습니다. 본회퍼는 "평화란 그리스도의 오심으로 우리에게 주어진 계명"이라고 했고, 존 브로우더스는 "세상에서 화평케 하는 일보다 하나님을 닮은 일은 없다"고 역설했습니다. 심지어 유대교의 랍비(Rabbi)들은 하나님의 이름을 샬롬(평화)이라고 붙였습니다.

공의로우신 주님!

바른 길로 인도하여 주시고, 보호하여 주신 은혜를 감사드립니다. 내게 주신 능력과 시간을 가난한 자와 고아들의 얼굴에 웃음꽃 피도록, 빛을 비추는 생활을 하게 하소서. 이웃 사랑을 실천하는 데 사용하게 하소서. 이웃에게 기쁨과 희망을 주는 복의 통로가 되게 하시고, 우리나라가 공의롭고 공평한 나라, 밝은 사회가 실현되게 하옵소서. 저에게 하나님을 사랑하고 사모하는 마음을 더 하여 주시고, 예수님과 복음을 위해 헌신하게 하옵소서.

우리 구주 예수님의 이름으로 기도드립니다. 아멘

마음을 넓히면 문제가 없어요

Widen your hearts do not have a problem

(말씀 _ 38)

본문 몬 1:7

형제여 성도들의 마음이 너로 말미암아 평안함을 얻었으니 내가 너의 사랑으로 많은 기쁨과 위로를 얻었노라.

외울 말씀

"아무도 비방하지 말며 다투지 말며 관용하며 범사에 온유함을 모든 사람에게 나타낼 것을 기억하게 하라."(딛 3:2)

관련 동영상

아빠의 마음 세상에서 가장 귀한 이야기

관용의 사람 빌레몬

출처 : cnote.kr

빌레몬이라는 이름의 뜻은 '애정 깊은, 유익한', '애정 있는 사람', '사랑을 간직한 자'입니다. 빌레몬은 골로새인으로, 달아난 노예 오네시모의 주인입니다.(몬 1:2, 몬 1:16, 골 4:12) 그리고 바울의 동역자요, 빌레몬서의 수신자입니다.

빌레몬은 하인을 거느릴 만큼 재산이 많은 유력한 사람으로, 골로새 교회의 중요한 인물이었습니다. 그는 그리스도와 신자들을 사랑했고, 그 사랑을 행동으로 나타냈습니다. 그는 바울의 전도를 받고 예수님을 믿게 되었습니다.(몬 1:19) 신앙 안에서 새로워진 빌레몬을 통해 그의 가족들도 신앙을 갖게 되었습니다. 압비아는 빌레몬의 아내요, 아킵보는 빌레몬의 아들이었습니다. 신자들은 빌레몬의 집에서 정규적으로 예배를 드렸습니다.

한편, 오네시모는 빌레몬의 노예였습니다. 이 노예는 주인집에서 도망하여 멀리 로마까지 갔습니다. 로마에서 노예 오네시모는 바울을 만났습니다. 빌레몬이 사도바울을 통해 복음으로 새롭게 된 것처럼, 노예 오네시모도 바울의 전도를 받고 신자가 되어 변화한 사람이 되었습니다. 주인에게서 도주하였던 악한 오네시모

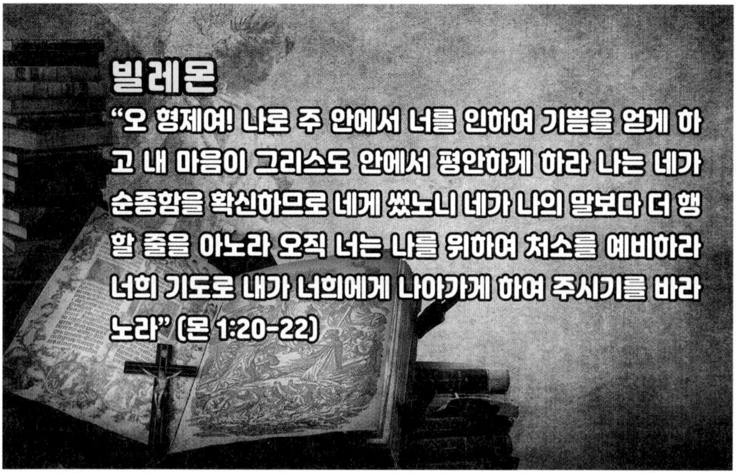

는 이제 그 이름('유익한'이라는 뜻)대로 바울에게 소중하고 유익한 사람이 되었습니다.

바울은 오네시모가 곁에 남아서 바울의 사역을 도울 수 있기를 바랬습니다. 그러나 바울은 오네시모가 로마에 그대로 머무르는 것이 옳지 않다고 생각했습니다. 당시 로마의 노예법은 가혹했습니다. 주인은 노예에 대하여 무제한의 권력을 가졌고, 노예의 생사는 완전히 주인의 손 안에 있었습니다. 하찮은 작은 죄 때문에 십자가형으로 죽임을 당하는 노예들이 수없이 많았습니다. 하물며 오네시모는 주인에게서 도주하였을 뿐 아니라 주인의 재물까지 가지고 갔기에 그의 죄는 엄청난 것이었습니다. 그래서 바울은 주인 빌레몬에게 보내는 편지와 함께 오네시모를 돌려보냅니다. 이 편지가 바로 '빌레몬서'입니다.

빌레몬은 옥중의 사도 바울에게 지극한 사랑을 보임으로 사도 바울이 많은 기쁨과 위로를 얻었습니다. 이러한 사랑의 마음은 자신에게 손해를 끼치고 도망한 종 오네시모를 주의 형제로 영접하는 관용을 나타냈습니다. 빌레몬은 후에 골로새 교회의 감독이 되었으며, 네로의 대박해 때 온 가족이 돌에 맞아 순교했다고 전합니다.

바울이 에베소에서 3년간 체류하면서 두란노서원에서 복음을 전했는데, 그때에 빌레몬이 믿게 된 겁니다. 당시 지중해를 중심으로 세계적 판도를 가졌던 대로마제국에는 약 6천만 명의 노예가 있었다고 합니다. 바울은 이 편지에서 이 절대 절명의 가련한 노예를 용서해 줄 것을 당부하고 있습니다. 도망하면서 돈까지 훔쳐간, 용서받을 수 없는 노예 오네시모를 위해 자기가 스스로 변상까지 약속하면서 지성으로 그의 용서를 간청하고 있는 바울을 보면 주님의 모습을 보는 것 같은 사도 바울은 에베소서 4장 32절에서도 이런 말씀을 했습니다.

"서로 용서하기를 하나님이 그리스도 안에서 너희를 용서하심과 같이 하라."

지는 게 이기는 것

넬슨 만델라는 350여 년간 계속된 남아프리카공화국의 인종 차별 정책을 끝낸 인물입니다. 이 공로로 당시 남아프리카공화국의 대통령이던 르 클레르크와 함께 1993년 노벨 평화상을 받았습니다. 그가 상을 받은 가장 큰 이유는 자신을 감옥에 집어 넣은 사람들을 진심으로 용서하고, 후일 대통령이 되었어도 복수하지 않고 관용으로 정치를 잘했기 때문입니다.

언젠가 제 아들이 학교에서 돌아오는 데 표정이 심상치 않았습니다. 머리는 헝클어져 있고 얼굴과 목에는 살짝 긁힌 자국이 있었습니다. 또 입술은 부풀어 올라 침을 뱉을 때마다 피가 나오는 것을 보았습니다. 학교에서 무슨 일이 있었느냐고 물었더니, 친구와 싸웠다고 했습니다. 그렇게 심하게 싸우고도 분이 풀리지 않았는지, 아들은 도저히 용서할 수 없다며 내일 또 싸울 거라고 얘기했습니다. 싸우지 않고도 이기는 법에 대해 이야기했지만 아들은 듣지 않았습니다.

그런 모습을 보면 아빠들은 자신들의 어릴 적 모습이 떠오릅니다. 친구에게 얻어맞은 기억도 떠오릅니다. 그러다가 너무 분해서 동네 어귀에 숨어 있다가 연탄재를 그 녀석의 얼굴에 던진 일도 생각날 겁니다. 제대로 맞으면 보통은 죽는다고 소리를 지르며 땅바닥에 데굴데굴 구릅니다. 처음엔 시원하게 복수했구나 싶어서 통쾌하기까지 하지만 나중에 눈에 연탄재가 들어가서 큰일날 뻔했다는 이야기를 듣게 되면 잠을 못잡니다.

'만약에 눈에 이상이 생겨 앞을 보지 못하게 되면 어떻게 할까?' '다시 길에서 만나면 얼굴을 어떻게 보지?' 이런저런 생각 때문에 가슴이 뛰어 견딜 수가 없습니다. 모두들 그런 기억 한둘쯤은 가지고 있습니다. 자라면서 복수하는 것은 절대로 해결 방법이 될 수 없다는 것을 깨닫게 됩니다. 지는 것이 이기는 것이고 용서하는 사람이 이기는 사람입니다. 넬슨 만델라가 보여 준 용서의 힘을 보면서 여러분들도 친구를 용서하기 바랍니다.

관용의 힘

사람이 원수를 용서하지 않고 원한을 품고 있으면 결국 너도 망하고 나도 망하게 됩니다. 용서하고 잊어버려야 합니다.

왜 우리가 다른 사람의 죄를 용서해 주어야 합니까? 예수님은 "너희가 이렇게 한 즉 하나님의 아들이 되리라"고 말씀하셨습니다. 다른 사람의 죄를 용서해 주는 성품은 하나님에게 속한 성품입니다. 모든 성품 가운데 가장 고귀한 성품이 다른 사람의 죄를 용서해 주는 성품입니다.

다윗이 왜 훌륭합니까? 그에게 하나님과 같은 성품이 있었기 때문입니다. 다윗이 아들 압살롬의 쿠데타 때문에 도망갈 때 시므이가 저주하자, 요압이 화가 나서 말했습니다. 저 놈의 목을 베어 오겠습니다. 아서라. 그만 두어라. 내 몸에서 난 아들이 나를 죽이려고 하는데, 하물며 베냐민 지파에 속한 저 사람이 나를 욕하는 것은 이상할 것 없지. 이 일은 모두 하나님께서 시키시는 거야. 그만 두어라. 다윗 일행이 다시 예루살렘으로 돌아올 때, 시므이가 그 일족을 다 모아서 용서를 빌자, 부하가 물었습니다. 저 놈, 저 염치없는 놈을 처치하리까? 그냥 두어라 오늘 같이 좋은 날에 사람을 죽여서야 되겠느냐? 다윗은 사울 왕에게 쫓겨 다니면서 사울 왕을 죽일 기회가 여러 번 있었으나 죽이지 않았습니다. 요셉은 그 형들의 죄를 용서했습니다.

스데반은 죽으면서도 돌로 치는 사람들을 용서해 주시기를 빌었습니다. 그의 얼굴은 천사의 얼굴같이 빛났습니다. "선을 악으로 갚는 것은 마귀의 일이요, 악을 악으로 갚는 것은 사람의 일이요, 악을 선으로 갚는 것은 하나님과 같은 행동이다."라는 서양 속담이 있습니다. 기독교는 원수일지라도 용서해주고 죄를 사하여 줍니다. 그런데 이 명령을 지키는 것이 쉬운 일이 아닙니다. 물론 나에게 손해 끼친 사람을 잊어버리기가 어렵습니다. 하물며 내 재산에, 내 인격에 손해를 입힌 사람은 더욱 용서하기 어렵습니다. 우리 믿는 사람도 조금 잘못하면 이 원한과 분한 마음을 품고 그대로 지내기 쉽습니다.

그러나 우리는 예수를 믿는 사람들입니다. 우리는 하나님으로부터 말할 수 없이 많은 죄를 용서받았습니다. 내 형제의 죄가 비록 많을지라도 용서해 주어야 하나님께서 내 죄를 용서해 주십니다. 우리는 이 원한이라는 독한 마음이 육체적으로 정신적으로 얼마나 해독을 끼치는지 잘 압니다. 아니 우리는 하나님의 자녀가 되었으니 우리 형제 간에 어떤 일로 어떤 손해를 보았든지, 내게 어떤 괴로운 일을 했든지, 지금도 어떤 손해를 주고 있든지, 물질적인 면으로나 인격적인 면으로 다른 어떤 방면으로 내게 어려움을 주고 있든지, 마음속에 분한 마음과 원한이 있으면, 오늘 이 예배당 문을 나서기 전 온전히 하나님께 자복하고, 회개하고, 용서해 주고, 하나님께로부터 용서를 받고, 기쁘고 즐거운 마음을 가지고 이 자리를 떠날 수 있기를 바랍니다. 서로 용서하십니다. 주께서 우리를 용서하심과 같이 우리 서로 용서하실 수 있기를 바랍니다.

결론입니다

예수 그리스도 주님의 마음은 사랑, 긍휼, 자비, 온유, 겸손입니다. 사도 바울은 바로 이 예수님의 마음인 사랑하고 겸손하고,

관용하는 마음, 복종하는 마음을 본받으라고 했습니다(빌 2:6~8).

왜 그리스도인이 관용해야 합니까? 예수께서 관대한 마음, 용서하는 마음으로 사셨기 때문입니다. 세상 사람들이 우리를 그리스도인으로 확신하게 되어 살아가는 가운데서 복음을 전하게 되기 때문입니다. 사랑과 관용의 마음으로 살면 다른 이들에게 기쁨을 주고 힘이 되기 때문입니다.

우리 모두 사랑과 관용으로 살아가십시다. 그래서 주의 이름을 하늘 높이 드러나게 하십시다.

선한 목자되신 예수님!
죽을 수밖에 없는 죄인을 자녀 삼으신 주님을 찬양합니다. 또한 어떠한 환경이나 어려움 가운데서도 우리들을 푸른 초장(草場), 쉴 만한 물가로 인도해주심을 감사드립니다. 하나님 자녀로서 담대함과 너그러운 마음을 주시며, 구별된 삶으로 하나님의 이름을 높이게 하옵소서. 이전에는 악을 악으로 갚으며 살아왔으나 지금부터는 주님께서 몸소 보이신 사랑과 희생을 실천하며 살게 하소서. 항상 제 마음에 그리스도의 사랑이 넘쳐 흘러 제가 속한 가정, 교회, 사회생활 속에서도 용서와 긍휼을 베푸는 복된 삶을 살게 하소서.
예수님의 이름으로 기도드립니다. 아멘

마음이 넓은 만큼 세상이 보여요

Mind I see the world as a large

(말씀 _ 39)

본문 약 3:17

오직 위로부터 난 지혜는 첫째 성결하고 다음에 화평하고 관용하고 양순하며 긍휼과 선한 열매가 가득하고 편견과 거짓이 없나니.

외울 말씀

"오직 위로부터 난 지혜는 첫째 성결하고 다음에 화평하고 관용하고 양순하며 긍휼과 선한 열매가 가득하고 편견과 거짓이 없나니."(약 3:17)

관련 동영상

선한사마리아인

소문이 중요하지 않다

어느 날 호랑이가 먹이를 찾아다니다가 어설프게 쭈그리고 앉아 있는 토끼를 보고 단번에 낚아챘습니다. 그런데 이 토끼가 고개를 빳빳이 쳐들고 호랑이를 째려보면 이렇게 말했습니다. “이거 놔 임마!” 생각지도 못한 반응에 충격을 받아 놀란 호랑이는 그만 그 토끼를 놓아주고 말았습니다. 다음날 아직도 그 충격에서 벗어나지 못한 채로 방황하던 호랑이 앞에 또 한 마리의 토끼가 나타났습니다. 호랑이는 이번에도 역시 간단하게 한발로 토끼를 낚아챘습니다.

그러자 토끼가 이렇게 말하는 것이었습니다.

“나야 임마!”

그 토끼는 바로 어제 그 토끼였던 것입니다. 깜짝 놀란 호랑이는 얼른 그 토끼를 또 놓아 주었습니다. 호랑이는 놀란 가슴을 쓸어내리면서 다시는 저 무서운 토끼를 알아보지 못하는 실수를 하지 않겠다고 다짐했습니다. 그날도 그 호랑이는 후들거리는 네 다리를 억지로 이끌고 자신의 굴로 들어가 쉬었습니다.

다음날 배가 고픈 호랑이는 또 토끼를 잡았습니다. 이번엔 그 토끼가 아닌 분명 다른 토끼였습니다. 그런데 호랑이는 그 토끼가 한 말 때문에 쇼크를 받아 그만 그 자리에서 죽어버리고 말았습니다.

도대체 이 토끼가 호랑이에게 뭐라고 말한 것일까요? 그 토끼가 호랑이에게 한 말은 바로 딱 한 가지였습니다.

"소문 다 났어 임마!"

다른 세상을 보는 사람

어느 판사 출신의 인품 좋은 인물이 정치계로 진출하게 됐습니다. 그의 경쟁자인 다른 당 후보는 선거 전에서 입만 벌리면 그 사람을 욕하고 비방하는데, 입에 담지 못할 만큼 추악한 욕설로 인신 공격까지 해왔습니다. 그러나 그 후보는 전혀 그를 비방하지 않았습니다.

그게 답답해서 한 사람이 물었습니다.

"판사님. 저 사람이 판사님을 헐뜯는 걸 모르십니까? 왜 그냥 가만히만 계십니까?"

그러자 그 판사는 대답했습니다.

"제가 어렸을 때 보름달이 휘영청 떠오르면 개가 그 달을 보고 막 짖더군요. 그러나 달은 여전히 개를 비춰주고 있었습니다."

대부분의 사람들은 배척을 당하거나 왕따를 당하면 견디지를 못합니다. 그 이유는 거절감이 마음에 깊은 상처를 주기 때문입니다. 하지만 마음이 넓어 관용하는 성품을 가진 사람은 다른 것이 보입니다. 아니 더 넓은 세상이 보인다고 말할 수 있습니다. 미움은 시야를 가려 바로 눈앞의 현실밖에 못 보기 때문입니다.

선한 사라리아 사람의 관용

한국 속담에 '이웃사촌'이라는 말이 있습니다. 이웃에 있는 사람이 멀리 있는 친척이나 친구보다 더욱 가깝다는 의미입니다. 하지만 요즘은 이웃에서 조금만 큰 소리가 나도 시끄럽다고 신고하고 서로 싸웁니다. 예수님이 그렇게 관용하라고 말씀하셨지만, 2000년 전이나 지금이나 우리는 여전히 관용이 메마른 시대에 살고 있습니다.

신 10:19 "너희는 나그네를 사랑하라 전에 너희도 애굽 땅에서 나그네 되었었음이니라"

한 사마리아 사람이 길을 갈 때입니다. 그런데 어떤 유대 사람이 한적한 길을 가다가 강도를 만납니다. 그 강도가 그냥 깔끔하게 돈만 훔쳐 가면 괜찮았을 텐데, 그 강도는 아마도 그 유대인을 죽일 의도였던 것 같습니다. 아무튼 그렇게 죽을 정도로 폭행을 당한 유대인은 길가에 그냥 버려졌습니다. 당연히 자비를 베풀 것이라고 생각되는 대제사장과 레위인이 그 유대인을 그냥 모른 척 지나칩니다. 그런데 천대받던 한 사마리아인이 지나가다가 나서서 도와준다는 내용입니다. 그냥 도와주는 것이 아니라 세심하게 친절을 베풀 뿐 아니라 매우 세심한 관용을 베푸는 이야기입니다.

예수님이 이 비유를 들려 주신 의도는 분명합니다. 누가 이웃이냐고 묻는 질문에 대답한 이야기이므로, 당연히 누가 이웃인지 알려 주는 이야기입니다. 그럼 누가 강도당한 유대인의 이웃입니까?

예수님이 말씀하시는 이웃은 자비를 베푸는 사람, 관용을 베푸는 사람입니다. 거리나 친분 관계가 아니라, 사랑을 베푸는 사람이 바로 이웃입니다. 우리는 사랑을 해야 한다는 명령을 알고 있지만, 언제부턴가 우리는 사랑하고 싶은 사람만 사랑하고 있습니다. 어느 순간부터 부자의 이웃은 부자만 되고, 가난한 자의 이웃은 가난한 사람만 되었습니다. 어느 순간부터 젊은 사람의 이웃은 젊은 사람만 되고, 나이든 사람의 이웃은 나이든 사람만 되었습니다.

하지만 예수님의 이웃 사랑은 다릅니다. 예수님의 사랑은 단순히 이웃을 사랑하는 것이 아니라, 이웃을 만드는 사랑입니다. 다시 말하면 예수님의 이웃 사랑은 이웃이 아니었던 사람을 이웃이 되게 하는 사랑입니다.

리더는 관용을 배워야 합니다

미국 남북전쟁 때 혁혁한 공을 세운 맥클란 장군이 있었습니다. 전쟁이 한창일 때 링컨 대통령과 국방장관이 맥클란을 격려하기 위해 예고 없이 야전사령부를 찾았습니다. 그때 맥클란은 전장에 있었습니다. 링컨은 몇 시간을 기다려 그를 만났습니다. 그런데 뒤늦게 나타난 맥클란은 링컨 대통령에게 의례적인 인사만 하고 자신의 방으로 올라가버리고 말았습니다.

한참 후 맥클란의 부관이 내려와 대통령에게 말했습니다.

"장군은 지금 너무 피곤해서 잠자리에 들었습니다. 각하께 죄송하다고 말씀하셨습니다."

대통령을 보좌하고 온 국방장관은 화를 참지 못했습니다.

"이런 무례한 장군은 당장 직위 해제해야 합니다."

그러나 링컨은 고개를 저으며 장관을 타일렀습니다.

"저 사람에게 가장 필요한 것은 휴식이요. 아무도 그가 쉴 권리를 빼앗을 수는 없소. 저런 소신 있는 장군이 진정 이 나라를 지킬 것이요!"

결국 링컨은 조용히 되돌아갔다고 합니다.

지도자에게 진정 필요한 것은 '사랑과 덕' 그리고 '아량'입니다. 세계의 평화는 혁명이 아니라 '관용'으로 만들어지기 때문입니다. 지금부터 관용과 아량을 키워나가도록 스스로에게 엄격하게 주문해야 합니다.

결론입니다

상대방과의 화목을 이루는 왕도는 달리 없습니다. 이쪽에서 먼저 양보하고 인내하며 관용으로 대하는 길 외에는 진정한 화목을 이루기가 어렵습니다. 물질이나 힘으로 상대를 내편으로 삼을 수는 있으나, 그 물질과 힘이 없어지면 관계가 변질됩니다. 그러므로 우리는 섬김의 본을 보이셨던 예수 그리스도를 화목을 이루는 귀감으로 삼아야 합니다.

상대편 스스로 마음을 열고 나를 사랑할 때까지 인내와 관용을 지니고 이웃을 섬기려고 한다면 어떤 상대와도 종국에는 화목할 수가 있을 겁니다(약 3:17). 아브라함과 조카 롯의 목자들이 다툴 때 아브라함이 "네가 좌하면 나는 우하고 네가 우하면 내가 좌하리라"고 함으로써 화목을 유지했듯이, 서로가 인내와 양보와 관용으로 대해야만 참된 화목을 이룰 수 있습니다.

찬양 중에 거하시는 주 여호와 하나님!

하나님은 정의를 사랑하시고 악을 미워하십니다. 그러므로 하나님이 즐거움의 기름을 저희들에게 부어 저희의 친구들보다 뛰어나게 하십니다. 할렐루야! 하나님은 공평하고 공평하지 않은 자들에게 비를 내리게 하셨고, 또한 구원받고 그렇지 아니한 자들에게 하나님의 심판을 내리셨다고 말씀하셨습니다. 저희도 하나님의 자비와 관용을 닮아 이제부터는 정말 참되고 아름답게 살아갈 수 있도록 지켜 주시옵소서. 무엇을 하든지 순결과 진실과 관용으로 살게 하시고, 예수 그리스도의 은혜와 지식 속에서 날로 날로 새로워지게 하옵소서!

예수님의 이름으로 기도드립니다. 아멘.

순서와 절차가 열매를 맺어요

Order and procedure bear fruit

(말씀 _ 40)

| 본문 골 2:5 |

이는 내가 육신으로는 떠나 있으나 심령으로는 너희와 함께 있어 너희가 질서 있게 행함과 그리스도를 믿는 너희 믿음이 굳건한 것을 기쁘게 봄이라

외울 말씀

"이는 내가 육신으로는 떠나 있으나 심령으로는 너희와 함께 있어 너희가 질서 있게 행함과 그리스도를 믿는 너희 믿음이 굳건한 것을 기쁘게 봄이라."(골 2:5)

관련 동영상

버스정류장

순서와 질서 – 삶에도 질서가 있어요

프랑스 파리의 한 수도원 입구에 있는 큰 돌비석의 비문에는 이렇게 적혀 있습니다.

“Apres cela, Apres cela, Apres cela.”

불어로 딱 석 자가 씌어 있습니다. 해설 없이는 도저히 알 수 없는 그런 이상한 문구입니다. 그 뜻은 간단합니다.

“그 다음은, 그 다음은, 그 다음은.”

이 글에는 재밌는 에피소드가 있습니다. 법과대학 졸업반에 다니던 한 학생이 고학을 하느라 애쓰다가 마지막 한 학기를 남기고 도저히 학자금을 조달할 수 없었습니다. 그래서 학교를 쉬게 될 거 같아 마음이 아픈 끝에 어느 신부님께 찾아가서 도움을 요청했습니다.

“신부님, 저를 좀 도와주십시오. 마지막 학기인데 학비가 모자랍니다.”

그러자 그 신부님은 흔쾌히 도와주겠다고 말했습니다.

"마침 조금 전에 어떤 교인이 좋은 일에 써 달라고 돈을 한 묶음 갖다 놓고 갔는데, 이건 분명히 자네를 위한 것일세."

신부님은 돈을 세 보지도 않고 한 줌을 딱 잡아 그냥 주었습니다. 그 청년은 너무나 쉽게 도움을 받아서 당황했습니다.

그리고 약간 걱정이 돼서 물었습니다.

"이것을 정말 제가 가져도 되는 겁니까?"

그러자 신부님이 말했습니다.

"아 그럼, 자 네 거야 그거는. 하나님이 자네에게 주는 걸세."

그는 신부님에게 감사 인사를 한 뒤 돌아섰습니다.

"감사합니다, 감사합니다."

그때 신부가 "잠깐만"하고 불러 세웠습니다. 그 청년은 신부님이 왜 불렀을까 싶어 고개를 돌려 말했습니다.

"신부님?"

돌아서는 학생에게 신부님이 다시 물었습니다.

"그거 가지고 가서 뭘 하려나?"

그 청년이 대답했습니다.

"아 그게 무슨 말입니까. 등록금을 내려고 부탁했고, 신부님이 저에게 주셨지 않습니까?"

다시 신부님이 물었습니다.

"맞아. 등록을 하고 나면 그 다음은?"

그 청년은 다시 대답했습니다.

“공부해야죠, 공부하고 졸업해야죠.”

다시 신부님이 물었습니다.

“그 다음은?”

그 청년이 대답했습니다.

“법관이 돼서 변호사가 돼 가지고, 억울하게 당하는 사람들을 위해서 공평한 변호를 하는 변호사가 되겠습니다.”

신부님은 청년의 대답을 듣고는 다시 질문했습니다.

“좋은 생각이군. 그래주면 좋겠네. 그런데 그 다음은?”

청년이 다시 대답했습니다.

“돈을 좀 벌겠습니다.”

신부님은 또 물었습니다.

“그 다음은?”

그러자 청년은 또 대답했습니다.

“장가가겠습니다.”

신부님은 짖궂게 또 다시 물었습니다.

“그 다음은?”

청년은 신부의 질문이 심상치 않다고 여기고 더 이상 대답을 하지 못했습니다. 그러자 신부님은 빙그레 웃으면서 말했습니다.

“그 다음은 내가 말하지. 자네도 언젠가는 죽어야 되네. 그 다음은 자네도 하나님의 심판대 앞에 설 것일세, 알고 있는가? 결국

내가 자네에게 주는 이 돈은 자네를 죽음으로 인도한다는 이야기네! 그래도 이 돈을 가져갈텐가?"

청년은 뒤통수를 한 대 맞은 것 같았습니다.

"좋은 말씀 깊이 생각해 보겠습니다."

인사를 드리고 나오는데 귓가를 계속 때리는 음성이 있었습니다.

"그 다음은, 그 다음은, 그 다음은."

신부의 질문이 계속 들려오는 것 같았습니다. 이 이야기는 실화입니다. 그 청년은 신부에게 받은 돈을 다시 돌려주고 수도원으로 들어가서 훌륭한 수도사가 돼서 한평생 귀한 일을 많이 했습니다. 결국 훌륭한 생애를 마치고 죽었는데, 그의 비석에는 그가 한평생 자기 책상 앞에 써놓고 좌우명으로 외우던 세 마디 "Apres cela, Apres cela, Apres cela"가 새겨졌습니다.

인생의 목표를 정하고 나면 인생을 사는 중에 일어나는 모든 어려움은 그 일을 이루기 위한 도구일 뿐이라는 것을 알게 될 겁니다.

파피루스와 바이블

여러분! 이 세상의 역사가 어떻게 우리에게 전달되어 왔는지 생각해 보았나요? 누군가는 역사의 전달자를 '파피루스와 돌계단'이라고 말했습니다. 왜냐구요? 파피루스는 사관(역사를 기록하는 사람)들이 역사를 기록해둔 것이고, 돌계단은 왕들이 건축물로 세운 역사라고 보기 때문입니다. 즉 종이와 유적이 역사를 알려주고 전달해 주는 도구라고 말하는 것이지요.

이집트에 가면 아직도 당나귀가 끄는 이동 도서관을 볼 수 있습니다. 또 그곳에는 세계에서 가장 오래된 도서관이 있기도 합니다. 이집트 하면 뭐가 생각나나요? 피라미드일 겁니다. 하지만 이집트는 헬레니즘 문화의 산실이자 카이사르(시저)와 클레오파트라의 고향이기도 합니다. 지금도 이집트의 도시는 두 개의 전설

MS 1365
Acts; from one of the smallest books of the Antiquity. Egypt, ca. 500

을 안고 있습니다. 세계 7대 불가사의의 하나인 높이 1백 20m의 '파로스의 등대'와 기원전 3세기 초 70만 개의 파피루스 뭉치를 소장한 고대 세계 최대의 도서관이 그것입니다.

또 이집트어는 영어와 알파벳의 기원이기도 합니다. 세계 문자의 기초를 이룬 이집트에서 세계 최초의 종이인 파피루스가 나왔다는 것은 결코 우연이 아닐 겁니다. 그림 속에 들어 있는 상형문자들을 차용하되, 수메르어 식으로 발음기호로 바꿈으로써 점차 표음문자로 발전해간 것을 짐작할 수 있을 정도니까 말입니다. 그 표음문자들이 결국 그리스 문자와 로마의 알파벳으로 진화한 것입니다.

언어가 발달하니까, 필연적으로 제지술도 발달했습니다. 파피루스는 로마까지 전해졌습니다. 오늘날 우리가 사용하는 '바이블'이란 단어의 어원이 파피루스입니다. 파피루스(Papyrus)에서 페이퍼(Paper)라는 단어가 파생되었습니다. 바이블(Bible)이란 단어는 기록을 위한 수단으로 인간에게 종이보다 유용한 발명품은 없다는 것을 가르쳐 줍니다.

파피루스의 대량 생산

파피루스는 식물 줄기를 얇게 쪼갠 뒤 눌러 붙인 것인데, 당시만 해도 일일이 사람의 손이 갔기 때문에 만들기가 무척 힘들었습니다. 근대적인 종이는 후한(後漢) 시대 채륜(蔡倫)에 의해 등장했는데,(서기 105년) 당시 중국인들이 삼베를 짤 때 바닥에 떨어져 평평하게 쌓이는 풀솜 찌꺼기를 그대로 말려 썼던 것에서 유래되었다고 합니다. 하지만 파피루스는 이 종이보다도 더 오래전에 문화를 기록하고 전파하는 도구로 사용되었습니다. 그래서 사람들은 어떻게 하면 파피루스를 좀 더 대량으로 만들 수 있을까 생각하게 되었습니다. 그래서 생각해낸 것이 분업이었습니다. 각 단계를 나누어 맡은 일만 하면 손놀림이 빨라져서 효율적이라는 걸 깨달은 겁니다. 말하자면 인류 최초의 종이공장이었던 셈입니다.

우리가 살면서 어떤 문제에 봉착했을 때 곰곰이 생각해 보면 문제 속에 답이 있는 경우가 많습니다. 필요가 발명을 낳는 법이기 때문입니다.

제국의 영토가 커지자 파피루스의 수요도 비례하여 늘어갔습니다. 그때 왕실 직속으로 있던 파피루스 공장 책임자 보디파스는 목숨이 위태로운 지경까지 이르렀습니다.

"다음 달 12일까지 마차 10대 분량의 페이퍼를 생산해 내시오. 그렇지 않으면 당신은 목숨을 보전하지 못할 것이오."

궁중에서 왕의 명령을 전달하는 시위대장 보디발의 추상같은 명령에 몸을 떨어야 했습니다. 실로 파피루스를 만드는 과정은 결코 쉬운 일이 아니었습니다. 먼저 식물 줄기를 얇게 쪼갠 뒤 눌러 붙이는 데는 적어도 15공정 이상이 들어갔기 때문입니다. 그런데 직원이라고 해봐야 각국에서 온 이주 노동자, 아니면 전쟁에서 포로가 된 노예들로 각 공장들마다 겨우 10여 명에 불과했습니다. 그들이 아무리 열심히 한다고 해도 그것은 분명히 불가한 일이었습니다.

보디파스는 이 일로 인해 몸져 눕고 말았습니다. 아무리 궁리를 해봐도 이 위기에서 벗어날 길은 없을 것 같았기 때문입니다. 그의 머릿속에서 지금까지 조국 팔레스타인을 떠나와 죽음을 무릅쓰고 공장장의 자리에까지 오른 과정이 주마등처럼 스치고 지나갔습니다. 하지만 궁하면 통한다고 했던가요?

그가 침상에 누워 기력이 다해가고 있을 때 한 쌍의 제비가 그의 집 처마 밑에서 집을 짓고 있었습니다. 알을 낳으려고 준비하는 모양이었습니다. 그런데 신기하게도 암수 한 마리가 하는 일이 나누어져 있었습니다. 수놈으로 보이는 녀석은 끊임없이 흙이며 지푸라기를 날랐고, 암놈은 물어다주는 흙과 지푸라기로 계속

해서 집을 만들고 있었습니다. 각자 역할을 나누어 분업을 하고 있었던 겁니다. 그것을 보다가 어떤 생각이 들었는지 보디파스는 벌떡 일어나 무릎을 쳤습니다.

"맞아! 저렇게 일을 나누어 하면 되겠구나. 내가 진작 왜 그 생각을 못했을까?"

그 길로 일어난 보디파스는 공장장들을 불렀습니다. 그리곤 직원들을 열다섯 명씩 한 조로 묶고 일을 분담하도록 했습니다. 첫 사람은 파피루스를 물에 불려 찧기, 그 다음 사람은 찧어진 파피루스를 좀 더 가늘게 짓이기기, 그 다음 사람은 짓이겨진 파피루스를 발에 펼쳐 놓기, 그 다음 사람은 발에 펼쳐진 파피루스의 물 짜내기 등등. 그리하여 최종적으로 마지막 열다섯 번째 사람이 파피루스 종이를 발에서 떼어내어 차곡차곡 쌓게 하였습니다.

노동자들은 점점 숙련되어 작업 속도가 빨라졌고, 드디어 납기일 전에 주문량을 생산해 낼 수 있었습니다. 궁하면 통한다는 법칙이 그대로 이루어진 것입니다. 이처럼 문제 속에는 놀랍게도 답이 있습니다.

결론입니다

질서가 조화를 만듭니다. 봄은 투자하는 계절이요, 여름은 인내하는 계절이요, 가을은 결실의 계절 또는 거두는 계절이라고 합니다. 가을이 인생에게 주는 교훈은 무엇일까요? 심은 그대로 거둔다는 원리를 가르쳐줍니다. 사람이 무엇을 심든지 그대로 거둔다는 말씀은 만고불변의 진리입니다. 시작이 있어야 끝이 있고, 출발이 있어야 도착이 있듯이 세상의 질서는 반드시 지켜져야 합니다.

또 가을은 가치가 재평가되는 계절입니다. 여름이 가고 가을이 잽싸게 다가오면 푸르던 잎들은 붉거나 노란 단풍이 되어 최소한의 자국만 남기고 뿌리 근처에 떨어져 거름이 됩니다. 그런데 가을에 떨어지지 않고 남은 것이 있습니다. 그것은 나무에 맺힌 열매입니다. 잎이 다 떨어진 뒤에도 주황색 감이 주렁주렁 맺혀 있는 감나무를 보신 적이 있으실 겁니다. 얼마나 아름답습니까? 잎은 다 떨어졌지만 열매는 남아 있습니다. 질서를 지키고 순서를 지키는 것이 때로는 힘든 것 같지만 반드시 열매를 얻게 됩니다.

그러므로 우리는 힘써 하나님의 자녀로 하나님이 만드신 질서와 순서를 잘 지키고 열매 맺기에 힘을 쏟아야 할 것입니다.

하나님 아버지!

질서를 만들어주심을 감사합니다. 사회 각 분야에 세워진 권위가 흔들리고 무너지는 이 시대에, 하나님이 세우신 권위와 질서에 순복하는 모범을 보이기 원합니다. 상대의 능력과 자질을 따지기 전에, 역할과 질서를 생각하며 주님의 겸손과 순종을 따르게 하소서.

예수님의 이름으로 기도드립니다. 아멘!

순서와 절차는 불편해도 공평해요

Order and procedure are fair, even if uncomfortable

(말씀 _ 41)

| 본문 민 28:24 |

너희는 이 순서대로 이레 동안 매일 여호와께 향기로운 화제의 음식을 드리되 상번제와 그 전제 외에 드릴 것이며

외울 말씀

"비 내리는 법칙을 정하시고 비구름의 길과 우레의 법칙을 만드셨음이라."(욥 28:26)

관련 동영상

김득신

어떤 일은 긴 시간이 필요하다

가문(家門)! 지금은 많이 쓰지 않는 말이지만, 한 사람의 성공은 한 가문의 영광이기도 합니다. 여러분들이 열심히 공부하고 또 자신의 재능을 개발하여 훌륭한 사람이 된다면 그게 어디 여러분들 혼자만의 자랑이겠습니까? 그것이 엄마 아빠의 영광이고 할아버지 할머니의 영광이 됩니다. 그런데 때론 한 사람의 생애에 끝나지 않고 대를 이어지는 일이 있습니다. 그것을 가업(家業)이라고 합니다.

4백 년 전 만리장성 건설 공사에 동원됐던 사람들의 이름과 출신지 등이 새겨진 약 1백만 개의 벽돌이 만리장성의 일부분에서 발견됐다고 외국의 신문이 전한 적이 있습니다. 명나라(1368-1644)

때 건설된 북경 인근 하북성 금산령의 장성 5백 m 부분에서 발견된 이들 벽돌들에는 축성(築城 ; 성을 세움) 자와 축성 일시, 장소 등이 기재되어 있다면서 일례로 "1576년 산동좌군이 만들어 쌓다"라고 쓰인 한 벽돌을 소개하기도 했습니다.

이 장성은 처음에는 판축법(版築法)으로 쌓았고, 명나라 때 벽돌을 덮어 씌웠습니다. 봉화대와 관성(関城)을 설치하였습니다. 이 장성은 원래 기원전 221년 진 시황제(始皇帝)인 영정(嬴政)이 천하를 통일하자 훈족의 침입을 막기 위해 성벽을 개수, 랴오둥(遼東)에서 린타오(臨洮)까지 구축하였던 것입니다.

장성학(長城學)

중국에는 만리장성만을 독립적으로 연구하는 '장성학'이 존재할 정도입니다. 지금이야 과학문명이 발달해서 기계의 힘을 빌리면 수월하게 쌓을 수 있습니다. 그러나 당시 사람들이 손으로 하나하나 다듬었을 정성과 성을 쌓기 위해 동원된 인원의 규모를 생각하면 사람의 힘만으로 오랜 세월 공사를 진행한 것 자체가 바로 통일 진(China) 나라의 힘을 집결시킨 표상으로 느껴질 정도입니다.

그런데 일찍이 당 태종이 이런 말을 한 적이 있습니다. 북방 흉노족들의 괴롭힘으로 고통을 당하고 있었는데, 이세적 장군이 성공적으로 북방 흉노족과 화친을 맺고 돌아왔습니다.

그때 이세적 장군에게 네 글자를 써 주었다고 합니다.

"인현장성(人賢長城 ; 사람이 긴 성벽(장성)보다 더 지혜 있고 낫다)"

이 말은 만리나 되는 장성이 감탄 거리가 되기도 하지만 그것보다 더 낫고, 더 지혜로운 것은 사람이라는 뜻입니다.

잠언에 이런 말이 있습니다. "소가 없으면 구유는 깨끗하겠지만, 소로 인하여 얻는 것이 많다."

진나라는 장성을 구축하면서 많은 에너지를 소비했지만, 그로 인하여 많은 것을 얻을 수 있었습니다. 만리장성은 한 세대에 완성된 것이 아닙니다. 때론 어떤 일이 자기 대에 이루지 못하면 다음 대에 이루겠다는 생각을 가지고 성실을 다해야 이루어지기도 합니다. 그런 마음을 가지고 어떤 일을 하면 조금 느긋한 마음이 생기지 않겠습니까? 오늘날의 사람들은 너무 빨리 완성을 이루려는 조급증에 걸린 것 같습니다.

늦어도 순서를 지켜야 합니다

조선 후기에 김득신이라는 학자가 있었습니다. 그는 자못 엽기적인 노력가였습니다. 아이큐가 절대로 두 자리를 넘지 않았을

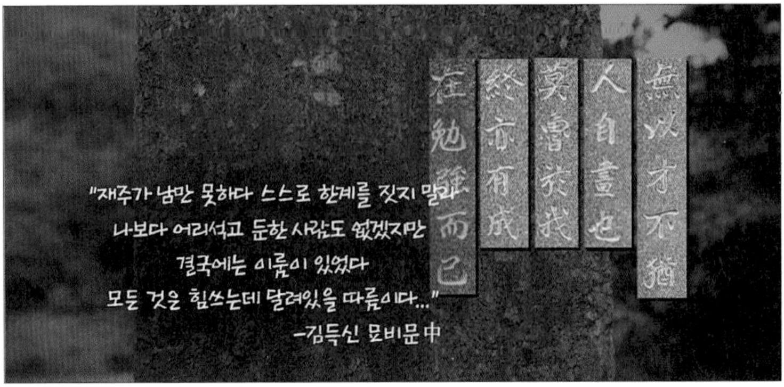

것이 분명한 그는, 평생을 두고 잠시도 쉬지 않고 노력에 노력을 거듭했습니다. 역사에는 믿기지 않는 둔재였음에도 끝없는 노력으로 학자가 된 그의 이야기가 전설처럼 전해질 정도입니다. 한 사람의 인간이 성실과 노력으로 이룰 수 있는 한계를 그는 보여준 사람이었습니다. 그가 썼다는 《독수기》는 그의 노력을 한눈에 보여줍니다.

책을 읽다가 잘 모르면 무조건 외우는 것이 그의 주 특기였다고 합니다. 그래서 독서록에 이것을 기록했습니다. 그 독서록에는 천 번을 읽지 않은 것은 기록에 올리지도 않았다고 합니다. 사마천의 《사기》 중의 「백이전」은 1억 1만 3천 번을 읽기에 이르렀습니다.

한 번은 말을 타고 어떤 사람 집을 지나가는데, 책 읽는 소리가 들려 말을 멈추고 한참 동안 듣더니 이렇게 말했습니다. "그 글이 아주 익숙한데, 무슨 글인지 생각이 안 나는구나." 그러자 말고삐를 끌던 하인이 올려다보며 말했습니다. "부학자재적극박(夫學者載籍極博 ; 대저 학문을 하는 사람이 갖고 있어야 할 책이 극히 많다) 어쩌고 저쩌고 한 것은 나리가 평생 매일 읽으신 것이니 쇤네도 알겠습니다요. 나리께서 모르신단 말씀이십니까?" 김득신은 그제야 그 글이 「백이전」임을 깨달았습니다. 그는 「백이전」을 1억 1만 3천 번 읽은 것으로 이름이 났습니다. 이때 1억은 지금의 10만을 가리키니, 실제 그가 읽은 횟수는 11만 3천 번이라고 정민 선생님이 쓴 《미쳐야 미친다》는 책에서 말했습니다. 그래서 머리가 좋은 사람보다 노력하는 사람이 성공한다는 말이 나온 듯합니다. 어떤 일을 시작했다면 만리장성을 쌓듯이 김득신처럼 11만 3천 번을 읽듯이 하면 못 이룰 일이 없다는 생각이 듭니다.

질서를 가지고 차곡차곡 내 할일을 하고 내 갈길을 가면 언젠가는 바라던 바를 이루고 이르고자 하는 곳에 갈 수 있는 법입니다.

결론입니다

때론 질서를 지키면 오랜 시간이 걸리고 어쩌면 일이 이루어지지 않을 가능성도 있습니다.

윈스턴 처칠이 이런 말을 했습니다.

"인생의 처음 25년 동안 나는 자유를 갈구했다. 그 다음 25년 동안 나는 질서를 추구했다. 그 다음 25년 동안 나는 질서가 곧 자유라는 사실을 깨달았다."

외국에서 오래 살다 온 어떤 사람의 이야기가 생각납니다. 하루는 그 분이 학교에 다니는 아이의 야외 수업을 참관했다고 합니다. 수업을 마치고 돌아온 아이들이 각자 점심을 받기 위해 줄을 지어 서 있었습니다. 그때 어떤 학생 하나가 중간에 새치기를 했습니다. 그런데 아무도 그 학생을 꾸짖거나 밀쳐 내거나 하지 않더랍니다. 내심으로 '참 묘한 일도 다 있구나.'라고 생각했습니다. 그런데 그 끼어든 학생의 차례가 되었습니다. 그제서야 바로 뒤에 서 있던 학생이 "이 아이는 새치기한 학생입니다."하고 배식하는 사람에게 말했습니다. 그랬더니 배식하던 사람이 학생에게 그 사실을 확인하고서는 맨 뒤로 보냈습니다. 그 사람은 이것을 보고 '바로 이것이 이 나라를 강대국으로 만든 저력이었구나!' 하고 감탄했다고 합니다.

우리나라 사람들의 질서 의식도 이제는 선진국 수준에 비길 만큼 향상되었습니다. 그러나 지금도 후진성을 버리지 못한 사람들이 눈에 띕니다. 극장이나 역 앞, 또는 공공장소에서 새치기하는 사람이 아직도 많이 있습니다. 또 고속도로를 달리다 보면 약삭빠르게 갓길로 가는 사람도 있습니다. 이제 우리는 이러한 그릇된 생활 자세를 버리고, 문화 국민답게 질서를 지키도록 노력합시다. 아울러 불의에 관대하지 말고 정의를 실현하는 데 앞장섭

시다. 그러면 우리도 금세 선진 강대국의 국민이 될 수 있습니다.

여러분들은 하나님의 자녀로 누구보다 질서와 순서를 지켜야 합니다. 그것이 때론 늦고, 아니면 손해 보는 일이라 할지라도 우린 주님을 바라보며 주님이 완성시켜 주실 것을 믿고, 비록 오래 걸리더라도 우직하게 질서를 지켜야 합니다.

하나님 아버지!
우리의 영혼이 하나님의 통치 속에서 광복의 기쁨을 누리며, 창조 질서를 어기지 않는 가운데 진리 안에서 자유롭게 살게 하소서.

질서와 권위는 나를 위해 필요한 것

Order and authority are what I need for me

(말씀 _ 42)

본문 롬 1:26.27

이 때문에 하나님께서 그들을 부끄러운 욕심에 내버려 두셨으니 곧 그들의 여자들도 순리대로 쓸 것을 바꾸어 역리로 쓰며 그와 같이 남자들도 순리대로 여자 쓰기를 버리고 서로 향하여 음욕이 불 일듯 하매 남자가 남자와 더불어 부끄러운 일을 행하여 그들의 그릇됨에 상당한 보응을 그들 자신이 받았느니라

외울 말씀

"여호와께서 다스리시니 스스로 권위를 입으셨도다 여호와께서 능력의 옷을 입으시며 띠를 띠셨으므로 세계도 견고히 서서 흔들리지 아니하는도다."(시편 93:1)

관련 동영상

동성애

형식과 규칙

한 남자가 결혼을 했습니다. 그런데 그는 신혼여행이 끝나자 곧 사라져버리고 말았습니다. 그리고 몇 달 후 나타났습니다.

신부는 너무나 황당하고 화가 나서 이렇게 이야기했습니다.

"아니! 당신 어떻게 나한테 이럴 수가 있어요?"

화를 내는 신부에게 그가 말했습니다.

"왜 화를 내는 거요. 우리는 분명히 결혼했고 사랑하는 사이잖소. 생활비도 보냈는데 무엇이 불만이오?"

신부의 이야기는 당연한 것일까요. 아님 틀린 것일까요?

한 어린이가 학교에 입학했습니다. 그런데 이튿날부터 학교에 나오지 않았습니다.

가정 방문한 교사에게 어머니가 말했습니다.

"우리 아이는 학교에 가지 않아도 돼요. 열심히 공부하고 있는 걸요."

교사는 어머니의 이야기에 더 기가 막혔습니다. 교사의 황당함은 정당한 것일까요?

이렇듯 형식과 규칙을 무시하면 세상은 난장판이 되고 말 겁니다. 눈에 보이는 것 이상으로 세상이 점점 질서를 잃어가고 있는 이 시대에 우리에게 시급한 것은 '질서 찾기'가 아닐까요.

동성애와 순리

오늘날 전 세계적인 도전이 많은 가운데 하나님의 창조질서에 가장 반대되는 현상이 무엇이냐면 동성 결혼에 대한 견해입니다.

성경 로마서 1:26.27에서 "이 때문에 하나님께서 그들을 부끄러운 욕심에 내버려 두셨으니 곧 그들의 여자들도 순리대로 쓸 것을 바꾸어 역리로 쓰며 그와 같이 남자들도 순리대로 여자 쓰기를 버리고 서로 향하여 음욕이 불일 듯 하매 남자가 남자와 더불어 부끄러운 일을 행하여 그들의 그릇됨에 상당한 보응을 그들 자신이 받았느니라"고 하시면서 남자와 여자가 만나 사랑을 하고 결혼을 하여 자녀들을 생산하는 것은 순리(順理 ; 자연의 정해진 이치와 질서), 즉 순서대로 정하여진 질서라고 말씀하고 있습니다. 그런데 그것을 거슬러 거꾸로 행동하는 것을 본문에서는 역리(逆理 ; 순리를 거슬리는 것)라고 말씀하고 있

습니다.

잘못된 규칙은 나만 죽는 것이 아니라 모두가 다 같이 죽는 길이 됩니다. 순리를 역리로 바꿀 때 이 세상엔 에이즈와 같은 후천성면역결핍증이 만연하게 되고, 더 이상 자녀들도 생기지 않아 결국은 인류는 사라지고 말 겁니다.

잘못된 규칙

스탈린이 지배하던 예전의 소련은 강력한 공산주의를 표방하던 나라였습니다. 지금의 북한과 마찬가지로 당시 소련에는 공산주의 체제와 국가 원수에 대한 지나칠 정도의 찬양이 있었습니다. 한 번은 모스크바 지구의 대표자 회의에 스탈린이 나타났었는데, 그 자리에 모인 모든 청중들은 자리에서 일어나 기립 박수로 환영을 표하기 시작했습니다. 그러나 박수는 5분이 지나도 그칠 줄을 몰랐고, 어느새 10분 가까이 기립 박수가 이어지고 있었습니다. 이대로 가다가는 전당대회가 이루어질 수 없겠다 싶어서 한 간부가 먼저 자리에 앉았고, 그 간부의 행동을 보고 모든 사람들은 안도의 한숨을 내쉬며 자리에 착석했습니다. 그 간부의 행동이 아니었다면 전당대회는 박수만 치다가 끝날 수도 있었습니다.

그러나 그날 밤 그 간부는 소련의 비밀경찰들에 의해 체포되었습니다. 죄명은 '최초로 박수를 그친 죄'였습니다.

간부는 억울해 하며 말했습니다.

"아무도 박수를 멈추지 않는다면 회의를 어떻게 진행합니까?" 하고 묻자 경찰이 대답했습니다.

"당신 말이 맞습니다. 그러나 누구든 처음으로 박수를 멈춰서는 안 됩니다."

잘못된 법이 범법자를 만들 듯이 잘못된 진리는 사람의 삶을 엉망으로 만듭니다. 세상의 수많은 잘못된 진리와 규칙에 현혹되지 말고 참된 진리의 길인 순리를 따라야 합니다.

역리는 멈추어야 합니다.

자동차가 달려가다가 저 앞에 빨강 신호등을 보면 무조건 스톱해야 합니다. 아무리 대형 트럭이라도 반드시 서야 합니다.

계기판에 빨강 경고등이 들어오면 가장 먼저 기계를 멈추고 원인을 찾아내야 합니다. 그렇지 않으면 현장이 빨강색으로 변할지도 모릅니다. 저 앞에서 교통경찰이 빨간 봉을 흔들면 제 아무리 비싼 차라도 일단 서야 합니다. 안 그러면 빨강 불을 번쩍거리며 경찰차가 추격해 옵니다. 심판이 빨강색(레드카드)을 꺼내면 무조건 퇴장입니다. 아무리 훌륭한 선수라도 운동장 밖으로 나가서 얌전히 앉아 있어야 합니다. 달력에 빨강색으로 인쇄된 날은 모든 일을 스톱하고 쉬는 날입니다. 특히 주일은 주님이 부활절을 맞이하여 이제 안식하고 쉬라고 주신 날입니다. 그것은 사람을 만들 때 6일은 일하고 7일 째는 쉬라는 창조주의 질서, 즉 순리입니다. 그것을 지키는 것은 나뿐 아니라 모두를 위해서 중요합니다.

히브리어 세배트(sabbath)는 고대 셈족이 '중지하다', '쉰다'는 의미로 사용하던 말인데, 우리말 성경은 '안식'으로 번역하였습니다.

그러니까 빨강색은 한 마디로 말해서 무조건 멈추어 서서 기다리거나 쉬라는 경고의 색깔입니다. 우리 몸도 경고를 어기고 멈추어 쉬지 않으면 나중에 피로가 누적되어 코에서 빨강색이 나오고 말 것입니다.

결론입니다

나무(木)의 뿌리에 작대기를 걸치면 본(本)이 되고,

나무(목)의 가지에 작대기를 걸치면 말(末)이 됩니다.

즉 나무의 시작은 뿌리이고, 나무의 끝은 가지라는 뜻입니다.

뿌리와 가지가 모두 한 나무이지만 뿌리가 먼저 라는 말입니다.

하나님 사랑이 이웃사랑보다 먼저입니다.

기도와 행동이 다 중요하지만 기도가 먼저입니다.

아기를 낳을 때도 머리가 먼저 나와야지 발이 먼저 나오면 위험합니다.

하나님이 먼저이고, 사람이 나중입니다.

사람이 먼저이고, 돈은 그 다음입니다.

이 순서가 바뀌니까 세상이 온통 뒤죽박죽 되어 모두가 고통에 신음하는 겁니다. 하나님의 자녀들은 비록 늦더라도, 때론 그것이 가난하게 되는 길일지라도 질서를 지키고 순리를 지키고 권위를 지켜야 합니다.

하나님 아버지!

저희들이 교만하고 타락하여 하나님이 만드신 질서와 순리를 역리로 사용한 것을 회개합니다. 용서하여 주옵소서. 순서와 질서를 지키는 것은 때론 아프고 힘들고 손해 보는 일이지만, 역리는 반드시 우리를 공격하여 파멸시키기 때문에 하나님의 순리를 쫓아가기를 원합니다. 저희로 하나님의 약속을 믿고 주님의 길로 믿음의 길로 가게 하여 주옵소서.

예수님의 이름으로 기도드립니다. 아멘!

하나님을 공경하라

Honor God

(말씀 _ 43)

| 본문 요 5:23-24 |

이는 모든 사람으로 아버지를 공경하는 것 같이 아들을 공경하게 하려 하심이라 아들을 공경하지 아니하는 자는 그를 보내신 아버지도 공경하지 아니하느니라 내가 진실로 너희에게 이르노니 내 말을 듣고 또 나 보내신 이를 믿는 자는 영생을 얻었고 심판에 이르지 아니하나니 사망에서 생명으로 옮겼느니라.

외울 말씀

"네 재물과 네 소산물의 처음 익은 열매로 여호와를 공경하라."(잠 3:9)

관련 동영상

메시야 곡의 비밀

하나님은 공경의 가장 큰 대상

오라트리오 "메시아"를 작곡한 헨델(Gearge Frderick Handel)은 반신 마비에다 파산까지 당했던 사람입니다. 산다는 것이 그에게는 거의 불가능할 정도의 지경이 되었습니다. 그런데 거의 절망적인 상태에서 헨델은 불후의 걸작인 오라토리오 메시아(Messiah)를 작곡하게 됩니다.

나중에 그는 그의 친구에게 이런 말을 했습니다.

"내가 메시아를 작곡할 때 천사들이 노래하는 소리가 들려 그 노래 소리를 들으며 작곡했다."

오늘 우리가 '메시야(Messiah)' 합창을 들을 때에도 가만히 앉아서 들을 수 없을 만큼 큰 감동을 받습니다. 하지만 반신 마비에 파산까지 한 사람이 그런 아름다운 곡을 만들 수 있다는 것을 상상이나 할 수 있을까요?. 이것은 결코 우연이 만든 걸작이 아닙니다. 거의 평생을 쌓아 올린 그의 실력이 어느 한 순간 활화산처럼 솟아 오른 겁니다. 하나님을 경외하고 진심으로 공경하며 그분의 선하심과 도와주실 것을 믿으며 낙심하지 않으면 언젠간 반드시 때가 이르면 결실을 거두게 됩니다.

성경 이사야 40:31에 보면 "오직 여호와를 앙망하는 자는 새 힘을 얻으리니 독수리가 날개 치며 올라감 같을 것이요 달음박질하여도 곤비하지 아니하겠고 걸어가도 피곤하지 아니하리로다." 고 말씀하고 있습니다. 여기에 나오는 단어 '앙망(仰望)'이란 영어로 'looking up to with hope'입니다. 굳이 번역하자면 '우러러봄'이란 뜻입니다. 다시 말해 하나님을 공경하며 바라볼 때 새 힘을 얻고 피곤하지 않게 될 정도로 새로워질 것이라는 약속입니다. 하나님을 공경하는 자는 남들이 보기에 좌절의 순간을 만날지라도 다시 이기며 더 나은 길로 나아갈 수 있습니다. 그러므로 오늘 힘들다고 해서 사람의 도리를 포기해서는 안 됩니다.

거짓 없는 믿음으로 앙망

구약성경을 자세히 보면 이스라엘 백성은 입술로는 하나님을 공경하는 것처럼 보였습니다. 그러나 마음은 달랐습니다. 쉽게 이야기하면 겉으로는 이웃에게 '하나님의 축복을 받으십시오'라

고 말하지만, 속으로는 '너 망했으면 좋겠다'라고 생각하는 겁니다. 하나님에게 축복을 받으려면 십일조를 드려야 한다고 말하면서 정작 자신은 십일조를 떼먹습니다. 이 사람들은 사실 불신의 사람들일 수 있습니다. 하나님을 믿지 않고, 하나님께서 나를 지켜보신다는 사실에 대하여 둔감한 사람들입니다. 당연히 믿지 않으니 둔감할 수밖에 없습니다.

이들은 예배를 드리지만 참된 예배가 아니었습니다. 형식은 갖추었습니다. 어쩌면 형식과 규칙은 더 엄격할 수 있습니다. 그러나 신령과 진정이 없습니다. 현대인들은 자신들이 편리한대로 예배를 드립니다. 이것은 자신을 위한 것이지 하나님을 위한 것이 아닙니다. 한편으론 형식과 규칙은 엄격하지만 하나님의 임재의 사실을 믿지 않는 예배가 있습니다. 엄숙함과 경건함은 있어 보이지만 하나님은 없습니다. 그래서 예수님은 헛되이 예배를 드린다고 말하고 있습니다. 매주 은혜를 받지 못하고 교회 문을 나선다면 그는 헛되이 예배를 드리는 것입니다. 하나님께서는 우리가 신령과 진정으로 예배를 드렸는데 아무것도 없이 빈손으로 보내시는 분이 아닙니다. 하나님을 공경한다고 하면서 거짓되이 공경하면 하나님은 엄위하시기 때문에 만홀히 여김을 받지 않으십니다.

하나님을 공경함은 마음에서 나와야 합니다. 여러분의 마음에서 나온 말을 한다면 쉽게 다른 사람이 감동을 할 것입니다. 말로만 거룩한 척 하는 사람은 그를 잘 아는 사람들이 볼 때 위선으로 비치며, 그의 말에 역겨워할지 모릅니다. 이런 사람은 예배에 있어서도 신령과 진정으로 예배를 드릴 수 없습니다.

하나님을 공경하면 당연히 행동이 바뀝니다

어느 날 나무꾼들이 산 속으로가 한 짐씩 나무를 해서 지게에 지고 돌아오는 길에 함정에 빠진 사람들을 발견했습니다. 자세히 보니 한 사람만 살았고, 나머지는 다 죽은 것 같았습니다.

착한 나무꾼이 동료들에게 말합니다.

"여보게들! 자! 우리 보고만 있지 말고 함께 구합시다."

하지만 동료들은 일언지하에 거절합니다.

"지금 날도 저물고 우리도 힘들고 바쁜데…저들을 구하려면 밤을 꼬박 새워도 힘들겠어. 내려가서 사람들에게 알리는 게 좋겠어!"

그렇게 말하며 현장에서 떠났습니다. 하지만 착한 나무꾼은 목숨을 걸고 살아 있는 한 사람을 구했습니다. 온몸이 긁히고 몸엔 진흙이 가득 묻었습니다. 하지만 구출하고 보니 그는 이 나라의 왕자였습니다. 왕자가 신하들과 사냥을 나왔다가 함정에 빠졌던 것입니다.

왕은 이 소식을 접하고 훗날 전령을 보냅니다.

"짐(朕)은 이 착한 나무꾼에게 큰 상을 내리노라!"

하지만 당시 그곳을 떠났던 그의 동료들은 친구가 상을 받고 왕궁으로 떠날 때 보고만 있어야 했습니다. 하나님을 공경하고 경외하는 사람은 그분의 성품을 닮습니다. 인자와 진리의 사람이 되기 때문에 선을 행하기에 주저하지 않습니다.

주님은 말씀하십니다.

"오직 선을 행함과 서로 나눠주기를 잊지 말라 이같은 제사는 하나님이 기뻐하시느니라."(히 13:16)

하나님 공경이 교육의 근본

교육의 핵심은 하나님을 알고 그분을 경외하는 것입니다.

"여호와를 경외(공경)하는 것이 지식의 근본이어늘 미련한 자는 지혜와 훈계를 멸시하느니라."(잠언 1:7)

이스라엘의 유대인들은 모든 지식의 기초를 하나님으로부터, 그리고 말씀으로부터 출발합니다. 그것은 신적인 권위이기 때문입니다. 이러한 신적인 권위를 존중하고 하나님을 경외하고 공경하게 될 때 그 다음 지식을 가르치고 기술을 가르쳐야 제대로 된 인간이 만들어집니다.

하지만 우리나라의 교육(教育)은 학교 교육(學校教育)이 끝나면 그 다음부터는 공부를 하지 않습니다. 그러나 교육(教育)은 평생교육(平生教育)입니다. 실상 가장 먼저 가르쳐야 하는 인간성 교육(人間性教育), 즉 성품 교육임이 분명한데, 그것을 외면(外面)한 지 오래 되었습니다. 인성은 부족한데 실력만 키워주니 그 하는 짓이 짐승과 별반 다르지 않게 되었습니다.

아이들에게 눈에 보이는 성적 위주(成績爲主)인 암기 교육(暗記教育) 경쟁만 시키다 보니, 왜 공부를 하는지, 사회에서 앞으로 해야 할 남에 대한 시장 봉사에서 이 공부가 왜 중요한지를 모르게 되고, 제자는 인격(人格)이 망가지고 스승은 가르친 제자에게 공경을 받지 못하는 사회(社會)가 되어버린 겁니다.

성경은 인간이 창조된 목적이 있다고 분명히 밝힙니다. 인간의 형상은 하나님의 형상입니다. 하지만 겉보기엔 짐승의 형상입니다. 짐승과 같은 생명체이지만 그 안에 영(靈)을 가지고 있기 때문에 사람의 가치는 영에 있습니다. 동물들은 가지지 못한 영(靈) 때문에 우리는 육신과 더불어 혼(魂)을 가집니다. 혼은 마음입니다. 성품입니다. 그래서 모든 교육의 핵심은 여호와를 아는 것입니다.

그런데 이 근간이 빠져 있는 것이 이 세상 교육입니다. 영과 혼, 즉 인간이 영적 세계 · 혼적 세계를 모르고 지식 교육만 시키니 많이 배울수록 더 큰 도둑이 됩니다. 그러므로 진정한 교육은 영과 육의 주인이신 하나님의 말씀을 통해 전인적인 교육을 시켜야 합니다. 저는 이것을 기독교 근본 교육(基督教 根本教育)이라고 말하고 싶습니다. 영혼을 살리는 교육을 우리의 공교육에 접목(接木)시켜야 교육이 살아납니다.

잘 생각해 보십시오. 지금까지의 공교육(公敎育)은 기존의 과학적 성과 중심(中心)의 주입식 교육(敎育)이었습니다.

인격(人格)이 갖춰지는 것이 아니라, 끝없는 도돌이 속에서 목적이 실종되어버렸습니다. 자식이 심지어 공부를 재촉하는 부모를 살해(殺害)하는 지경까지 되어버렸습니다.

교육(敎育)의 흐름이 흔들리고 인성(人性)이 무너져 타락하게 되었습니다. 인간의 인간에 대한 봉사를 생각하는 시장경제적 인간 교육을 시키지 않았기 때문입니다. 그래서 혼란이 온 것입니다.

세상은 시장경제에서의 봉사 정신을 가볍게 여기고, 다시 옛적으로 돌아가자고 합니다. 과거 개별 과학으로 분화되기 전의 철학으로 혼적인 불을 밝히려고 합니다. 약간 시대를 역행합니다. 물론 철학이 중요합니다. 하지만 기독교적인 입장에서 보면 철학은 하느님이 마찬가지로 창조하신 이웃을 돌보라는 말씀보다 못합니다. 기독교적인 교육관이 선명하지 못한 채 옛 철학으로 무장된 교육기관(敎育機關)만 늘어났습니다. 이것이 오늘날 우리의 한계입니다.

학부모들은 학교가 교육 소비자들의 욕구를 채워주지 않고, 이념을 앞세우는 교사들의 선전장이 되는 데 불만을 품고 학원으로 달려가 실력을 채우려고 합니다. 공교육이 이를 반성하지 않고,

'혁신학교'라는 이름의 또다른 실험만 하는 등 거꾸로 가고 있습니다. 타인에 대한 봉사를 통해서 사회도 잘되고 나도 잘되는 길을 추구하는 교육으로의 정상화가 시급합니다.

결론입니다

교육에서 가장 중요한 핵심은 인간을 영적(靈的)인 존재로 이해하는 것입니다. 이것이 동물과 다른 점입니다. 영적인 존재이기 때문에 종교가 세상에 있습니다. 하나님을 믿지 않고 예수님을 믿지 않는 사람도 우상이나 신념을 믿고 살아갑니다. 믿는다는 것은 공경이 포함된 말입니다. 하나님을 공경하지 않는 것은 곧 우상을 공경하는 것이나 다름없습니다. 하나님을 알고 믿고 공경하는 것이 기독교 신앙입니다.

인간은 영적인 존재이기 때문에 마음을 가졌습니다. 마음을 가진 심적(心的) 존재는 감정이 있습니다. 믿음은 마음이 있는 사람에게만 필요합니다. 동물은 마음이 없기 때문에 믿고 안 믿고 할 수 없습니다. 따라서 교육은 예수님을 믿는 믿음 안에서 세워져야 진정한 양심을 가진 인간을 만듭니다. 기독교적 근본 교육이 필요합니다. 기독교적 근본 교육의 바탕 위에 전인교육(全人教育)을 실시(實施)해야 합니다. 그래야만이 오늘 우리가 고민하고 아파하는 문제가 10년, 20년 세월이 지나면서 근본적으로 해결될 수 있습니다.

하나님 아버지!
이 세상에서 유일하게 공경을 받으실 분은 오직 하나님 한 분뿐이심을 고백합니다. 우리의 찬양과 경배를 받으시옵소서. 우리가 하나님을 떠나 죄를 부끄러움과 죄책감으로 괴로워할 때, 예수님을 만나게 하시고 십자가에서 우리 대신 희생하신 예수님을 믿게 하시니 감사합니다. 저희로 하여금 항상 하나님을 아버지로 공경하며 살게 하여 주옵소서. 주 예수의 이름 또한 높이여 살게 하여 주옵소서.
예수님의 이름으로 기도드립니다. 아멘.

지혜의 근본

Base of wisdom

(말씀 _ 44)

| 본문 벧전 2:16-18 |

너희는 자유가 있으나 그 자유로 악을 가리는 데 쓰지 말고 오직 하나님의 종과 같이 하라 뭇 사람을 공경하며 형제를 사랑하며 하나님을 두려워하며 왕을 존대하라 사환들아 범사에 두려워함으로 주인들에게 순종하되 선하고 관용하는 자들에게만 아니라 또한 까다로운 자들에게도 그리하라.

외울 말씀

"네 부모를 공경하라 그리하면 너의 하나님 나 여호와가 네게 준 땅에서 네 생명이 길리라."(출 20:12)

관련 동영상

함수

부모를 공경하라

한 소년이 바다를 정복할 꿈을 그리면서 성장했습니다. 원래 집안이 부자였던 소년은 세계를 돌아다니며 견문을 넓히고 싶었습니다. 그래서 그 소년은 일평생 뱃사람으로 살아갈 것을 다짐했습니다. 어느 날 그 소년은 큰 선박회사에 취직해서 먼 나라로 항해를 떠날 준비를 갖추었습니다. 그는 배에 자신의 짐을 모두 실은 후, 어머니께 작별의 인사를 드렸습니다. 그때 어머니는 슬픈 표정으로 눈물을 흘리면서 아들을 향해 “너를 떠나보내는 것이 너무 괴롭다”라고 말했습니다.

평소에 효심이 지극했던 그 소년은 어머니의 눈물을 보고 슬픔의 이야기를 듣고는 바다를 정복하기 위한 항해를 포기했습니다.

어머니는 아들의 손을 잡으며 고맙다고 하면서 “부모를 공경하는 자녀는 복을 받는다”며 성경 말씀을 들려주었습니다. 하나님의 말씀대로 “너도 복을 받을 것이다.”라고 말하면서 어머니는

2월 4일, 1789년

미국 초대 대통령에 조지 워싱턴 선출

1789년 2월 4일 조지 워싱턴이 미국의 초대 대통령으로 선출됐다. 아메리카 혁명군 총사령관으로 뽑혔던 그는 프랑스군의 도움을 받아 영국군과의 여러 차례 격전 끝에 요크타운에서 콘월리스 장군을 항복시켜 사실상 전쟁을 끝냈다.
이후 그는 제헌회의를 이끌면서 국민의 두터운 신망을 얻었으며, 결국 선거인단의 만장일치로 초대 대통령이 됐고, 3년 후 워싱턴은 제2대 대통령에 또다시 선출됐다.

그날부터 효자 아들을 위해 매일 눈물의 기도를 드렸습니다.

그 소년은 위대한 지도자로 성장했습니다. 이 사람이 바로 미국 초대 대통령을 지낸 조지 워싱턴입니다. 부모를 공경하는 자녀는 장수하며 결코 망하지 않습니다. 부모로부터 기도 지원을 받는 자녀는 반드시 하나님의 복을 받습니다.

어미 원숭이의 새끼 사랑

어떤 동물학자가 원숭이의 심리 상태를 실험하기 위해 원숭이 일가족을 철판 위에 올려 놓았습니다. 그리고 그 밑에서 불을 지폈습니다. 철판이 서서히 달아 올랐습니다. 바닥이 뜨거워 도저히 견딜 수 없을 지경에 이르렀습니다. 그러자 아빠 원숭이는 새끼 원숭이들을 밟고 그 위에 올라섰습니다. 그러나 엄마 원숭이는 뜨거운 철판 위에 드러눕고는 자기 배 위에 새끼 원숭이들을 올려놓았습니다. 진정한 어미의 사랑은 자식을 위해 자신의 목숨을 포기하는 겁니다. 우리는 이러한 부모님의 마음을 기억하여 진심을 다해 공경해야 할 것입니다.

오래전 이야기입니다. 그러니까 60년이 거의 다 되어가는 1962년 2월 10일, 여수 남국민학교 졸업식장에서 일어난 일입니다. 졸업식장에서 회색 스웨터에 까만 낡은 바지를 입은 중년 부인이 노력상을 받았습니다. 그 부인이 단상에 올라가 상장을 받자 장내는 박수 소리로 떠나갈 듯했고, 졸업하는 그 부인의 딸은 울음을 터뜨렸습니다. 노력상을 받은 어머니와 딸은 세 가구밖에 없는 외딴 섬에 살았습니다. 주민이라고는 겨우 20명뿐인 이 섬에서는 제일 가까운 여수에 볼일이 있어도 섬사람들이 직접 만든 배를 타고 갈 수밖에 없는 곳이었습니다.

어머니는 딸이 여덟 살이 되자 남편에게 딸을 육지에서 공부시키자는 말을 어렵게 꺼냈습니다. 그러나 그의 남편은 "20리나 되는 뱃길을 어떻게 다닐 수가 있겠느냐"며 반대했습니다. 당시 그 섬에는 교육을 받은 사람이 아무도 없었습니다.

그 어머니는 그 섬이 무지에서 벗어나야 한다는 믿음을 굽히지 않고 딸을 남편 몰래 육지의 초등학교에 입학시켰습니다. 그로부터 6년, 어머니는 비가 오나 눈이 오나 매일 꼭두새벽에 일어나 20리나 되는 험한 물결을 가로지르며 손수 노를 저어 아이를 학교에 데려다 주었습니다. 그리고 섬으로 돌아와 밭일을 하다가 저녁이면 다시 배를 타고 딸을 데려와야 했습니다. 처음 얼마 동안은 딸도 울고 그 어머니도 울었습니다. 딸은 어머니가 자신을 육지에 홀로 남겨두고 떠나는 것이 두려워 울었고, 어머니는 딸을 데리러 가는 길이 늦어 딸이 애처로워 죽을힘을 다해 노를 저으며 울었습니다. 시계도 없는 섬에서 매일 시간을 맞춰 딸을 학교에 보내고 데려오는 일에 한 번도 어긋남이 없었습니다. 그렇게 6년을 하루같이 오간 뱃길이 무려 3만 3천 리나 되었습니다. 이 사실이 알려지자 졸업생과 부모, 그리고 선생님들의 감격스러운 울음으로 졸업식장은 울음 바다가 되었습니다.

함수의 의미

수학에서의 함수(函數, function)란 깜깜한 상자 속에 있는 기계장치로, 변수 x와 y 사이에 x의 값이 정해지면 y값이 따라서 정해지게 만드는 관계에 있을 때, y는 x의 함수라고 합니다.

또 x를 독립변수(獨立變數), y를 종속변수(從屬變數)라고 하는데, 이것은 독일의 수학자 디리클레(Peter Dirichlet)가 내린 정의입니다.

함수라는 개념은 수학의 역사와 더불어 존재했다고 보아도 될 것입니다.

실생활에서도 함수에 해당하는 것은 매우 많은데, 예를 들면 열차의 운임은 기리(km 수)의 함수입니다. 즉 거리가 정해지면 그것에 대응하여 운임이 결정됩니다.

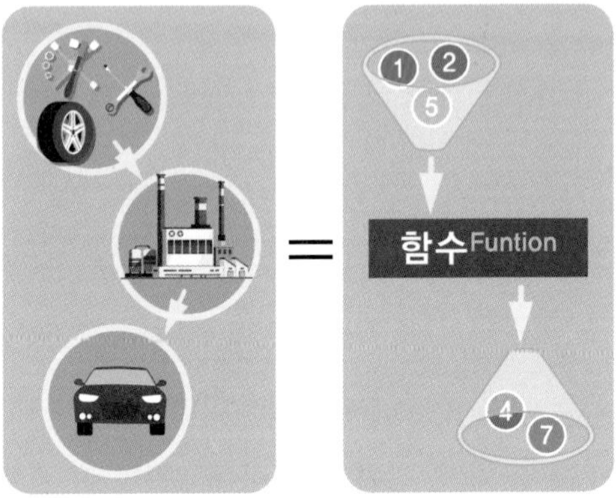

가정에서 부모와 자녀의 함수 관계는 무엇보다 시사하는 바가 큽니다. 즉 부모의 상황이 결정되면 곧 자녀의 상황이 정해지므로 자녀는 부모의 함수가 됩니다. '출어이자 반어이자(出於爾者 反於爾者)'란 말이 있습니다. 그 뜻은 '네게서 나온 것이 다시 네게로 돌아온다'란 뜻입니다. 하나님을 공경하고, 존경할 사람을 공경하고, 부모를 공경하면 나중에 내 자신이 공경을 받습니다.

지게와 광주리

옛날 중국에 품행이 좋지 않은 원오라는 사람이 나이 90세인 아버지와 함께 살고 있었습니다. 원오는 자기 아버지에게 평생 효도 한 번 제대로 하지 않은 사람이었습니다. 원오는 어느 날 아들 원각에게 할아버지를 광주리에 담아 지게로 지고 가서 산속에 내버리고 오라고 하였습니다. 원각은 아버지의 명령을 거역할 수가 없어서 할아버지를 광주리에 앉혀서 지게에 지고 산으로 갔습니다. 원각은 깊은 산속 인적이 드문 곳에 할아버지를 버리고 돌아왔습니다. 그리고 돌아올 때는 지게와 광주리를 잘 챙겨가지고 왔습니다. 원오는 "광주리와 지게는 버리고 올 것이지 무엇하려고 다시 가지고 왔느냐!"고 아들을 야단하였습니다.

그러자 원각이 이렇게 대답하였습니다. "이것을 잘 보관해 두어야 다음에 아버지께서 나이가 들었을 때 다시 쓸 것이 아닙니까."

원오는 아들의 말에 충격을 받았습니다. 자신의 잘못을 뉘우친 원오는 다시 산속으로 달려가서 아버지를 모셔와 잘 봉양하였습니다.

결론입니다

나폴레옹이 폴란드를 침략해 들어간 때였습니다. 폴란드 농촌에 있던 한 영주가 침략해 온 나폴레옹 황제에게 잘 보이기 위해서 그를 자기 집의 저녁 만찬에 초대했습니다. 패전국의 영주가

승전국의 황제를 초대한 것입니다. 전쟁터에 나와 있던 나폴레옹과 그 신하들은 이 영주의 초대를 받아 그 집에 갔습니다. 식탁이 마련되었습니다. 그런데 영주는 좌석을 배치할 때 나폴레옹을 제일 상석에 모시지 않았습니다. 두 번째에도 모시지 않았으며 겨우 세 번째 좌석에 나폴레옹 황제를 앉게 하는 것이었습니다. 그리고 그 다음 좌석들에 신하들을 앉게 한 후, 그 다음 좌석에 가족들을 앉게 하였습니다.

나폴레옹은 화가 났지만 체면상 말을 안하고 있을 때에 옆에 있던 신하가 화를 내며 그 주인에게 항의를 했습니다.

"우리 대제국의 황제를 이렇게 대우할 수 있는가."

그러자 주인이 이렇게 대답하는 것이었습니다.

"이 자리는 내 아버지와 어머니가 앉으실 자리입니다. 나라에서는 임금인 황제가 최고로 높지만 우리 집안에서는 내 아버지와 어머니가 제일 높습니다."

이 말을 들은 나폴레옹은 그 영주의 효성에 감탄하고 칭찬해 주었다고 합니다.

이렇게 집안에서는 연세 많으신 노부모를 가장 최고로 섬길 줄 알고 높일 줄 알아야 합니다. 이것이 바로 공경하는 것입니다. 또 공경한다는 말은 부모에 대해 실망하거나 불평을 하지 않고 지내는 것을 뜻합니다.

"너희 부모를 주 안에서 순종하라"(1절)고 했습니다. '순종'이란

"이렇게 하라, 저렇게 하라"고 할 때에 "예, 예, 예" 하고 그대로 따라하는 것입니다. 부모가 원하는 대로 따르는 것이 곧 순종입니다.

그러나 공경은 그 이상입니다. 공경은 타의에 의해서가 아니라 스스로 원해서 부모를 잘 받들어드리는 것입니다. 그래서 우리는 어떠한 의무감에서 하는 것이 아니라 스스로가 받들어서 부모를 잘 대하는 자가 되어야 합니다. 요즘에는 부모를 섬기기 싫어 해서 형제끼리 서로 싸우는 가정들이 있고, 어떤 자는 부모를 서로 모시려고 그 부모님을 잘 받드는 그런 자식들도 있습니다.

여러분들은 정말 내 부모를 모시고, 내가 받들고, 내가 존경하고 내가 즐겁게 해드리기 위해서 스스로가 자원하는 사람이 되기를 축원합니다.

주 하나님이시여!

주의 영광이 온땅에 충만하나이다. 가장 존귀하신 주께서 영광과 찬송을 받으시옵소서. 주님께 감사하옵나이다. 부모님을 통하여 이 세상에 태어나 양육을 받으며 자라서 일하게 된 것을 감사드리옵니다. 부모님을 진심으로 공경하게 하옵소서. 그것이 "자녀들아 주 안에서 너회 부모를 순종하라"는 명령인 줄 알게 하옵소서. 부모님이 기쁜 감정을 가지게 하옵소서. 주여, 남의 부모나 윗어른과 지도자들도 공경의 덕행을 가지게 하옵소서.

주 예수 그리스도의 이름으로 기도하옵나이다. 아멘.

공경의 힘

The power of Honor

(말씀 _ 45)

| 본문 레 19:3 |

너희 각 사람은 부모를 경외하고 나의 안식일을 지키라 나는 너희 하나님 여호와니라.

외울 말씀

"하나님이 이르셨으되 네 부모를 공경하라 하시고 또 아비나 어미를 훼방하는 자는 반드시 죽으리라 하셨거늘"(마 15:4)

관련 동영상

가시고기

가시고기

가시가 돋아 있는 고기가 있습니다. 그래서 이름도 가시고기입니다. 강원도와 경상북도의 동해로 유입되는 대부분의 하천과 충청북도 제천시의 의림지(義林池)에 분포하며, 북한 · 중국 동부 · 일본 등지에도 분포되어 있는 고기가 가시고기입니다.

가시고기의 산란기는 4~7월이며, 일 년에 한 번씩 강을 거슬러올라와 잔잔한 곳에 보금자리를 마련하고 산란을 합니다.

그러나 산란한 암컷은 떠나버립니다. 그리하면 수컷 가시고기는 둥지를 지키며, 알들을 보호합니다. 알이 부화하여 자랄 때까지 먹지도 않고, 잠자지 않고, 오직 새끼들만 돌보다 죽음을 맞이합니다.

그런데 소설가 조창인 씨가 쓴 장편 소설의 제목도 《가시고기》입니다. 참으로 많은 사람이 읽은 소설입니다. 아니 어떻게 보면 어른들이 읽는 동화라고 할 수 있습니다. 내용은 한 시인 아버지가 백혈병 아들을 간병하는 내용입니다.

이 소설에서는 '가시고기'라는 고기를 주인공 아이를 통해서 다음과 같이 설명합니다.

"가시고기는 이상한 물고기입니다. 엄마 가시고기는 알들을 낳은 후엔 어디론가 달아나버려요. 알들이야 어찌되든 상관 없다는 듯이요. 아빠 가시고기가 혼자 남아서 알들을 돌보죠. 알들을 먹으려고 달려드는 다른 물고기들과 목숨을 걸고 싸운답니다. 먹지도 않고 잠을 자지도 않으면서 열심히 알들을 보호해요. 알들이 깨어나고 새끼들이 무럭무럭 자라납니다. 그리고 새끼 가시고기들은 아빠 가시고기를 버리고 제갈길로 가버리죠. 새끼들이 모두 떠나고 난 뒤 홀로 남은 아빠 가시고기는 돌틈에 머리를 넣고 죽어버려요."

소설의 주인공 아버지는 집을 나간 아내 대신 백혈병에 걸린 아들을 자신의 모든 것을 희생하며 돌봅니다. 같은 가시고기라지만 암수가 이렇게 다르다는 것을 이야기하고 싶은 겁니다. 하지만 최근에 밝혀진 사실에 따르면 가시고기 엄마는 죽으러간다고 합니다. 자신이 알을 낳은 곳에서 멀찌감치 떨어진 곳에 가서 바위에 머리를 짓이기며 죽습니다. 죽어서 썩어가는 엄마의 고기 냄새를 맡고 다른 물고기들이 새끼들에게 가지 못하게 하기 위해서라고 합니다. 한 마디로 가시고기는 엄마 아빠 모두 다 자식들을 위해서 자신들을 희생하는 참으로 아름다운 이야기를 전해 주는 고기들이 아닐까 합니다.

공경해야 할 대상은 이러한 숭고한 사랑을 주는 대상에 국한됩니다. 독생하신 아들 예수님을 보내어 주신 하나님! 그리고 우리를 위해 모든 것을 헌신하는 부모님! 이런 분들이 우리의 공경의 대상입니다. 사랑을 베푸는 존재에게 공경을 표하지 않는 것은 영혼 없는 존재와 같기 때문입니다. 공경할 대상을 공경할 때는 대충하면 안 됩니다. 마음을 다하고, 뜻을 다하고, 목숨을 다해야 합니다. 그것을 진진진이라고 표현할 수 있습니다.

주님도 이렇게 말씀하셨습니다.

"예수께서 이르시되 네 마음을 다하고 목숨을 다하고 뜻을 다하여 주 너의 하나님을 사랑하라 하셨으니"(마태복음 22:37)

여기서 우리는 진이 마음을 다하는 진, 뜻을 다하는 진, 목숨을 다하는 진이라는 것을 알 수 있습니다.

진진진

역사적 히어로! 이순신의 리더십은 한마디로 공감 리더십입니다. 이순신의 리더십에 대해 연구한 짐 프리드먼도 "극단적인 시련 속에서도 끊임없이 배우고, 적응하고, 변화시킨 사람"이라고 이순신을 높게 평가했습니다.

가장 최근에 이순신에 대해 글을 쓴 박종평이란 작가는 이순신의 정신을 단 세 글자! '진(眞)', '진(盡)', '진(進)!'으로 정의했습니다. 여기서 '참 진(眞)'은 하나님을 공경하고 두려워하는 자세, 즉 하늘의 뜻을 따르는 진정성이고, '최선을 다할 진(盡)'은 시련을 겪거나 어떤 일을 도모할 때 이순신이 자주 쓴 표현이며, '나아갈 진(進)'은 끊임없는 도전을 의연하게 받아들이는 지도자의 자세라고 했습니다.

저는 이 글을 읽으면서 무릎을 쳤습니다. '한마디로 명쾌하다.' 여러 갈래의 복잡한 체계를 단순 명쾌하게 요약하는 능력을 로버트 루트-번스타인(Robert Root-Bernstein)은 '추상의 능력'이라고 했는데, 박종평 작가는 한마디로 추상의 능력이 탁월한 작가라는 생각이 들었습니다.

진진진을 가르치는 부모

성경에는 자녀에게 진진진을 가르치는 부모들로 가득합니다. 모세의 어머니 요게벳은 남자아이를 낳으면 모두 죽여야 하는 이집트의 법 앞에서도 목숨을 걸고 하나님이 주신 자녀에 대한 가르침과 꿈을 잃지 않았습니다. 부모는 자녀에 대해 하나님이 주신 비전을 가져야 합니다. 사명을 발견한 자녀는 절대로 인생을 허비하는 일이 없습니다.

자녀에게 꿈을 묻는 부모는 많지만, 하나님이 자녀의 삶을 통해 이루실 놀라운 계획과 비전을 알고자 간절히 기도하는 부모는 많지 않습니다. 자녀의 모든 것을 하나님께 맡긴다는 입술의 고백이 그저 흩어지는 가벼운 말에 지나지 않도록 오늘, 주님께 자녀의 꿈을 내려 놓고 그 분의 지혜를 간구하십시오. 그래서 윌리엄 펜은 "하나님 다음으로 귀한 분은 당신의 부모이다."고 말했습니다.

결론입니다

- 불효는 곧 하나님을 대적하는 것

한태완 목사님의 말씀 중에 나오는 이야기입니다. 시골에 사는 한 어머니가 남편을 여윈 채 홀로 외아들을 정성껏 키웠습니다. 자신은 헐벗어도 아들에게는 좋은 옷을 입히려 했고, 자신은 굶어도 아들에게는 맛있는 음식을 먹이려고 애썼습니다. 아들이 공부하고 자라면서 점점 아버지를 닮아가는 모습을 지켜보는 것이 기쁨이요, 보람이었습니다. 그 아들이 마침내 서울로 유학을 갔습니다. 어느 날 아들이 보고 싶어 어머니는 서울로 올라옵니다. 그러나 하숙집을 찾을 수가 없었습니다. 하는 수 없이 어머니는 아들이 다니는 대학의 교문 앞에서 한나절이나 기다립니다. 드디어 많은 학생들 틈에 아들의 얼굴이 보였습니다. 아들은 여자 친구와 다정하게 이야기를 나누면서 교문을 나섭니다. 너무 반가운 나머지 아들의 이름을 부르며 뛰어갔습니다.

그러나 아들은 어머니로부터 고개를 돌립니다.

"저 사람 누구예요?"

여자 친구가 아들에게 묻습니다.

"우리집 식모야."

남루하고 초라한 시골 아낙네를 어머니라고 하기가 부끄러웠던 모양입니다. 어머니는 눈물을 흘리며 그 자리를 피했다고 합니다.

부모를 거역하고 불효하는 것은 곧 생명을 주신 하나님을 거역하고 불신하는 겁니다. 하나님을 믿는 백성들은 결코 불효를 저지르지 않습니다. 왜냐하면 하나님의 은혜와 사랑을 깨달았기 때문입니다. 그리고 우리의 생명이 하나님으로부터 부모님을 통해 이 세상에 왔다가 영원한 고향인 하나님의 나라로 돌아가는 것을 알기 때문입니다.

요즘 많은 친구들이 '내가 커서 훌륭하게 잘되는 것이 효도이며, 내가 행복한 것이 부모에 대한 효도'라고 생각합니다. 이론인즉 그럴 듯합니다마는 참으로 걱정스럽습니다. 무슨 대단한 일을 한다고 부모의 마음을 아프게 합니까? 우리는 부모님을 영광과 자랑과 행복의 근본으로 삼아야 합니다. 그분들의 아들 된 것을 자랑하고, 그분들의 딸 된 것을 영광으로 알고 기뻐할 때에 그것이 효도이며, 여기에 약속이 있는 축복이 함께합니다.(신 5:16, 잠 1:8-9, 잠 15:20)

"너 낳은 아비에게 청종(聽從)하고 네 늙은 어미를 경히 여기지 말지니라"(잠 23:22)

하나님!

저에게 부모님을 주셔서 진심으로 감사드립니다. 이 땅에 사는 날 동안 하나님 아버지와 육신의 부모님을 공경하고 효성을 다하는 제가 되게 하여 주옵소서. 또 저희가 커서 가정을 이룰 때, 효도하는 자녀로 살다가 효도받는 부모로 남게 하옵소서. 부모님을 기쁘게 해 드리고 말씀에 순종하는 우리가 되게 하시옵소서.

이 모든 기도를 예수님의 이름으로 올려드립니다. 아멘!

성품이 인격을 바꾼다

The character's personality changes

(말씀 _ 46)

| 읽을 말씀 롬 12:1-2 |

그러므로 형제들아 내가 하나님의 모든 자비하심으로 너희를 권하노니 너희 몸을 하나님이 기뻐하시는 거룩한 산 제물로 드리라 이는 너희가 드릴 영적 예배니라 너희는 이 세대를 본받지 말고 오직 마음을 새롭게 함으로 변화를 받아 하나님의 선하시고 기뻐하시고 온전하신 뜻이 무엇인지 분별하도록 하라.

외울 말씀

"너희는 이 세대를 본받지 말고 오직 마음을 새롭게 함으로 변화를 받아 하나님의 선하시고 기뻐하시고 온전하신 뜻이 무엇인지 분별하도록 하라."(롬 12:2)

관련 동영상

이순신

인격이 바뀌면 인생이 바뀐다

우리는 지난 1년 동안 하나님의 가치를 배우고 인격을 성숙시키는 성품에 대해 배웠습니다. 마음을 넓혀 많은 경험을 쌓게 되면 생각이 남 다르게 커지는 법입니다. 생각의 힘, 곧 심력(心力)이 커지면 눈앞의 작은 성취나 성공에 연연하여 교만하지 않게 됩니다. 좀 더 큰 목표를 향해 나아가는 과정 속에는 성공도 있고 실패도 있다는 것을 알기 때문입니다.

하지만 심력이 아무리 커져도 마지막 단계인 점화의 단계, 즉 엄청난 힘을 가진 로켓이라도 불을 붙이지 않으면 발사할 수 없듯이 생각을 행동으로 옮기는 실천력이 없으면 무용지물입니다. 그래서 행동으로 옮기는 힘이 중요한 법입니다. 이것을 실천력이라고 합니다. 믿음은 우리의 성품이 내면에서 시작되어 행동을 실천하는 힘으로 나타나도록 도와줍니다.

> "생각이 바뀌면 행동이 바뀌고
> 행동이 바뀌면 습관이 바뀌고
> 습관이 바뀌면 인격이 바뀌고
> 인격이 바뀌면 운명까지도 바뀐다."
>
> - 윌리엄 제임스(美 심리학자) -

매우 멋진 말입니다. 그러나 참으로 어려운 과정은 바로 생각에서 행동으로 바뀌는 과정입니다. 다양한 경험을 쌓아야 할 이유가 바로 여기에 있습니다. 많은 경험을 위해 시간을 투자한 사람은 사물을 보는 눈이 틀려지는 법입니다.

그러면 실천을 위한 점화(點火)의 힘은 어디에서 얻을 수 있을까요? 나의 생각에는 결심만 하는 바보가 아니라, 실패하는 경험자가 되겠다는 생각을 가질 때 가능하다고 봅니다. 이 세상에서 실패자가 되고 싶은 사람은 하나도 없습니다. 누구나 자기 인생을 성공적으로 살고 싶어 합니다. 그러나 그러한 본능적인 욕구에도 불구하고 많은 사람들이 실패자의 인생을 살아가고 있는 것도 사실입니다. 그중 가장 큰 이유는 실패해서는 안 된다는 강박 증상이라고 할 수 있습니다.

이 증상이 심화되면 실패가 두려워 무엇인가를 시작도 해 보기 전에 포기해 버리는 경향이 심해집니다. 무엇인가에 도전했을 때는 그 일에 성공과 실패의 가능성은 50:50이지만 포기했을 때에

길을 가다가 돌이 나타나면
약자는 그것을 걸림돌이라 말하고,
강자는 그것을 디딤돌이라고 말한다.
- 토마스 칼라일 -

는 100% 패배로 이어집니다.

속담에도 "부뚜막의 소금도 집어넣기 전에는 짠 것이 아니다."는 말도 이 때문에 생겼습니다. 그러므로 실패가 두려워 시작을 망설이지 말아야 합니다. 집에서 노래를 잘 부르던 사람이 어떤 모임에 가서 노래를 부르려고 하면 잘 부르지 못하는 경우가 있습니다. 그것은 지나치게 잘 부르려는 생각과 완벽하게 부르지 않으면 안 된다는 생각이 뿌리깊이 내려 있기 때문에 나타나는 역효과입니다. 연습할 때에는 우수한 실력을 보이다가도 시합에서 번번이 지는 이유가 여기에 있습니다. 실패는 성공의 과정에서 나타나는 부산물입니다. 따라서 한 번도 실패하지 않는 사람은 한 번도 시작하지 않은 사람이라도 할 수 있습니다.

진(眞)! 진(盡)! 진(進)!의 요체(要諦)

첫 번째, 박종평 작가가 말하는 '참 진(眞)'은 하늘을 공경하고 두려워하는 자세, 즉 거짓 없는 '마음', 진정성입니다. 성경은 예수 그리스도의 삶의 요체를 진(眞)과 혜(惠)라고 적고 있습니다.(요 1:14) 그런 면에서 이순신 장군의 요체는 예수님과 닮았다고 할 수 있습니다.

나아가는 '힘', **진進**

\- 모두를 이끄는 자가 갖춰야 할 미덕 -

두 번째, '나아갈 진(進)'은 한마디로 과업지향적(Task centered)인 정신, 다시 말해 목표를 설정하면 목표를 달성하게 위해 최선을 다하는 마음 자세를 말합니다. 목표를 향해 의연히 나아가기 위해선 끝임없는 도전을 감내해야 한다는 것도 포함된 말입니다. 또 함께 나아가기 위해선 반드시 함께하는 구성원들에게 공감을 불러일으켜야 합니다. 불완전한 인간이기에 저지를 수 있는 오류를 바로잡으면서, 혼자만의 이익을 쫓기보다 다른 사람들과 공존하고 공생하며 함께 걸어가는 어깨동무 정신을 말함입니다.

마지막 세 번째, '최선을 다할 진(盡)'입니다. 여기서 저 유명한 '필생즉사 필사즉생(必生則死 必死則生)'의 정신이 드러납니다. 예수님 역시 동일한 말씀을 하셨습니다. "제 목숨을 얻으려는 사람은 목숨을 잃고, 나 때문에 제 목숨을 잃는 사람은 목숨을 얻을 것이다."(눅 17:33)고 말씀하셨습니다.

이순신 리더십이라고 할 수 있는 세 가지, 진(眞), 진(盡), 진(進)!의 리더십을 한마디로 요약하면 나 자신에겐 공명(共鳴), 타인에게선 공감(共感)을 이끌어내는 리더십이라고 할 수 있습니다.

내 자신을 울리는 공명(共鳴)이 다른 이들에게 공감이 될 때, 역사는 변화를 시작합니다. 모두에게 진(眞), 진(盡), 진(進)!이 일어나면 한 명이 능히 천 명의 군사를 이길 수 있는 힘과 에너지가 나오는 법입니다.

일반적인 영웅의 지위를 뛰어넘어 성웅이란 칭호를 들어도 아깝지 않은 이는 이순신이 유일하지 않을까 합니다. 그 이유는 다음과 같습니다.

첫째, 공(公)은 자신의 안위보다 나라의 안위를 먼저 생각했기 때문입니다. 임금도 재상도 먼저 제살길부터 찾는 게 인지상정인데, 그는 오로지 죽기를 각오하고서라도 적으로부터 나라를 지키고자 했습니다. 그것이 충이고, 그것이 정의였습니다.(眞)

둘째, 그는 목표를 향해 가는 길에 방법과 전략을 구체적으로 만들고 적용했던 전무후무한 사람입니다. 말단의 작은 병사 하나라도 해야 할 역할을 분명히 맡기고 전체가 움직이도록 지도력을 발휘했기 때문입니다. 그것은 끝없이 자신을 변화시키고 원하는 방향으로 향해 나아가는 정신입니다.(進)

셋째, 승리의 결과를 자신의 공으로 돌리지 않았습니다. 자신이 얻고자 한 것은 영토(領土)로 규정지어진 신성 불가침의 인권이었고, 그 안에 사는 모든 백성들의 안위였기에 더 이상의 공을 인정받고자 아니하였습니다. 그랬기에 자신을 부인하고 고초를 마다하지 않으며 원하는 바를 이루었습니다. 한 걸은 더 나아가 백의종군의 치욕을 준 임금까지도 다시금 가슴에 안는 위대한 사랑과 화합을 모습을 보여줄 수 있었습니다. 이것이 그가 성웅으로 추대받게 된 중요한 바탕이라 할 것입니다.(惠)

성품은 숨길 수 없다

옛말에 '출어이자 반어이자(出於爾者 反於爾者)'라는 말이 있습니다. "네게서 나온 것은 다 네게로 다시 돌아간다"는 뜻입니다. 남의 마음을 아프게 하면 나의 마음도 아플 때가 온다는 말입니다. 나무가 무성한 삼림(森林)을 만들려면 50년이 걸리지만, 성냥 한 개비면 삽시간에 나무를 다 없앨 수 있습니다. 사람의 습성도 이와 같습니다. 사람의 마음속에 아름다움을 많이 쌓아 놓으면 언젠가는 아름다움이 쏟아져 나오고, 실력을 차곡차곡 쌓아놓으면 언젠가는 작품이 나옵니다.

우리 속담에 "콩 심은 데 콩 나고 팥 심은 데 팥 난다"라는 말이 있습니다. 채소를 심은 곳에서는 채소를, 잡초를 심은 곳에서는 잡초를 거두게 됩니다. 그러므로 좀 더 나은 내일과 좀 더 풍성하고 부유한 삶을 얻기 위해서는 오늘 내가 무엇을 심어야 할 것인가에 유의해야 합니다.

자기 생애 속에 죄악, 부정, 불안, 질병, 파괴와 절망을 심어 놓고 그 곳에서 행복과 즐거움과 부요와 풍요가 거둬지리라 생각한다면 이는 우주의 법칙을 무시한 것입니다. 성경에 보면 "하나님이 가라사대 땅은 풀과 씨 맺는 채소와 각기 종류대로 씨 가진 열매 맺는 과목을 내라 하시매 그대로 되어 땅이 풀과 각기 종류대로 씨 맺는 채소와 각기 종류대로 씨 가진 열매 맺는 나무를 내니 하나님의 보시기에 좋았더라"(창 1:11~12)고 기록되어 있습니다.

오늘날 사람들은 인생 가운데 저절로 기이한 일이 일어나리라는 막연한 기대 속에서 살고 있지만, 그러한 일은 생기지 않습니다. 모든 일은 원인에 따라 결과가 생깁니다. 하나님께서 말씀하신 그대로 만물이 생겨났듯이 우리가 심은 대로 그 열매가 맺혀 우리에게 결과로 다가오기 마련입니다. 예수님께서는 우리 인간의 마음은 밭이고 그 생각은 씨라고 말씀하셨습니다.(마 13장)

우리의 마음 밭에는 두 종류의 씨가 뿌려집니다. 하나는 예수님께서 이 땅에 오셔서 뿌린 하나님의 아들들이 되는 씨이고, 다른 하나는 마귀가 뿌리는 가라지 씨입니다. 우리가 마음 밭에 하나님의 아들의 씨를 뿌리면 천국의 자녀가 태어나고, 가라지 씨앗을 뿌리면 마귀가 태어납니다. 따라서 어떤 씨앗을 뿌리느냐에 따라 어떠한 것을 추수하느냐가 결정됩니다. 이것은 '무엇을 생각할 것인가?'를 결정하는 매우 중요한 일입니다.

성경은 말씀합니다.

"눈물을 흘리며 씨를 뿌리는 자는 기쁨으로 거두리로다." (시 126:5)

"이것이 곧 적게 심는 자는 적게 거두고 많이 심는 자는 많이 거둔다 하는 말이로다."(고후 9:6)

"악인의 삯은 허무하되 의를 뿌린 자의 상은 확실하니라." (잠 11:18)

"악을 뿌리는 자는 재앙을 거두리니 그 분노의 기세가 쇠하리라."(잠 22:8)

"함정을 파는 자는 그것에 빠질 것이요 돌을 굴리는 자는 도리어 그것에 치이리라."(잠 26:27)

행동하는 성품

그리스도인에게 쏟아지는 비난은 무엇입니까? 말은 잘하나, 실천을 하지 않는 것입니다. 우리는 이것을 이중성이라고 부르고, 나토(NATO : No Action, Talking Only)라고도 하며, 심지어는 위선이라고 말합니다. 많은 그리스도인이 이런 위선적인 태도로 살아갑니다. 나는 그렇지 않다고 부인하나, 자세히 들여다보면 자신도 위선을 행합니다.

우리의 이중성과 위선은 어디에서 나옵니까? 진지하게 물어 보신 적이 있습니까? 마음에서 나오는 겁니다. 그러므로 마음의 상태에서 말이 나오는 것은 정직합니다. 그러나 마음에서 나온 것이 아니라 말로만 체하는 것은 위선입니다.

결론입니다

아무리 좋은 성품으로 배웠다고 하더라도 생활 속에 적용되지 않고 실천하지 않으면 아무런 의미가 없습니다. 우리의 작은 사랑 · 믿음 · 소망의 가치도 실천하여 세상에 드러날 때 하나님이 영광을 받을 수 있습니다.

시어머니를 모시고 사는 한 주부가 있었습니다. 워낙 살림을 잘 하는 며느리에 성격이 좋은 시어머니라 별 다른 갈등 없이 잘 지내고 있었는데, 언제부터인가 시어머님이 저녁에 자꾸 다 시들어 빠진 채소를 사가지고 오셨습니다. 시든 상추, 깻잎, 파... 등을 매일 돌아가며 사오자 혹시 어머님 시력이나 기억에 문제가 생겼나 걱정되어 며느리가 물었습니다.

"어머니, 혹시 요즘 계속 시든 채소를 사 오시는 이유가 있나요?"

"응. 요 앞의 시장에 혼자 텃밭에서 가꾼 채소를 파는 할머니가 있거든. 근데 어느 날은 시든 파를 들고 오신거야. 아들 · 딸들 모두 취업하여 여기저기 떠나서 연락도 없고, 할머니 혼자 채소 파는 걸로 생활하고 계셨는데 며칠 아파서 드러누우셨더니 심은 채소가 다 시들었대... 그렇다고 놀 수도 없어서 매일 뽑아서 들고 나오신다는 이야기를 듣고 너무 딱해서 조금이라도 도움 되시라고 매일 사오고 있단다."

진짜 사랑은 마음에서 머물지 않고 행동으로 이어집니다. 작은 행동이라도 사랑의 동기로 실천할 때 주님이 기뻐하시며, 믿지 않는 사람들의 마음까지도 열 수 있습니다. 성령님이 주시는 작은 동기도 무시하지 말고 곧 실천하십시오. 반드시 주님께서 좋은 것으로 채워주실 겁니다.

주 하나님 아버지!
언제나 저에게 늘 좋은 것으로 주시고, 저희가 구하는 것보다 더 넘치게 부어주심을 믿습니다. 하나님의 사랑을 받은 저희들 세상에 나누어주라고 하신 말씀대로 실천하게 하옵소서. 노점상에서 물건을 파는 가난한 사람들의 마음을 읽어 내려가듯 우리 주변의 어려움을 나누게 하소서. 그리고 올 한 해 배운 아름다운 가치와 성품을 주님의 이름으로 나타내며 살게 하옵소서.
예수님의 이름으로 기도드립니다. 아멘.

하늘에는 영광, 땅에는 평화

Glory in the sky, peace in the land

(말씀 _ 47)

| 본문 롬 10:9-13 |

네가 만일 네 입으로 예수를 주로 시인하며 또 하나님께서 그를 죽은 자 가운데서 살리신 것을 네 마음에 믿으면 구원을 받으리라 사람이 마음으로 믿어 의에 이르고 입으로 시인하여 구원에 이르느니라 성경에 이르되 누구든지 그를 믿는 자는 부끄러움을 당하지 아니하리라 하니 유대인이나 헬라인이나 차별이 없음이라 한 분이신 주께서 모든 사람의 주가 되사 그를 부르는 모든 사람에게 부요하시도다 누구든지 주의 이름을 부르는 자는 구원을 받으리라.

외울 말씀

"사람이 마음으로 믿어 의에 이르고 입으로 시인하여 구원에 이르느니라."(롬 10:19)

관련 동영상

영화 〈It's A Wonderful Life〉

임금님의 사랑

키에르케고르는 성탄을 이렇게 설명했습니다.

"한 나라에 임금이 있었다. 그에게는 모든 게 있었다. 단 한 가지만 제외하고. 그것은 바로 아내였다. 그는 진정한 아내를 원했다. 그래서 그는 변장을 하고 거리를 자주 다녔다. 혹시 자기 마음에 드는 처녀를 찾을 것 같아서였다. 어느 날 그는 가난한 농가를 지나다가 들에서 일하는 처녀를 보았다. 그리고 그녀에게 완전히 사로잡히고 말았다. 그는 그녀 앞에 왕으로 나타날 수도 있었다. 그러면 결혼은 문제가 없을 것이다. 그러나 그것은 권위와 명령을 가지고하는 결혼이다. 그렇게 되면 왕비는 얻겠지만 아내는 얻을 수 없다. 그러면 중매를 통해서 만날 것인가? 그것도 마찬가지이다. 변장을 하고 나타날 것인가? 그것은 거짓의 방법이다. 다른 사람으로 자신을 속이는 것이다. 그러면 어떻게 할 것인가? 결국 그는 결심했다. 나는 농부가 되겠다. 국사는 믿을 사람에게 맡기고 나는 농부가 되겠다. 그는 품꾼 농부가 되었다. 농부의 옷을 입고 음식을 먹었다. 완전히 그들 중 하나가 되었다. 힘든 일을 하면서 그 아가씨의 사랑을 받는다. 이것이 바로 하나님의 마음이다. 세상에 오시는 마음이 그것이다.”

여러분 우리 믿는 사람들이 자기 속에 이 마음이 주어졌음을 알아야 합니다. 우리를 너무너무 사랑해서 우리를 얻으려고 이 땅에 오신 주님의 마음을 알아야 합니다. 이것이 진정한 사랑입니다. 사랑을 받아들이는 것은 믿음입니다. 왕이 자신을 사랑한다는 이 놀라운 사실을 믿을 수 없지만, 믿는 처녀만이 왕비가 될 것입니다. 왕은 이렇게 해서 농부의 딸과 결혼했습니다. 이것이 그리스도의 방법이었습니다. 주님은 왕이시지만 우리에게 오셔서 우리를 신부로 맞이하고 싶어합니다. 이제 우리는 예수님을 마음으로 믿고 입으로 시인하여 그 사랑을 영접하여야 합니다. 그러면 하나님 나라에 들어갑니다.

멋진 인생

미국 사람들이 성탄절에 꼭 보는 영화가 있습니다.

이 영화는 1946년에 만들어진 흑백 영화입니다만, 오랜 세월 동안 미국인의 가슴에서 가슴으로 전달되어지는 영화입니다. 필름은 낡고 흑백이지만 배경으로 나오는 시골의 눈덮힌 마을은 오래도록 기억에 남습니다. 이 영화는 실의에 빠진 사람들에게 희망을 주며 행복의 가능성을 안겨다주는 영화로써 보는 사람이 쏙 빠져들게 합니다.

그 영화의 제목은 "멋진 인생(It's a Wonderful Life)"입니다.

그 영화에 나오는 주인공은 자신의 인생에서 아무것도 이루지 못했다고 생각하며 살아가는 평범한 인간이었습니다. 그에게는 유명한 건축가가 되겠다는 꿈이 있었습니다. 그런 다음 세계를 여행하며 모험을 하겠다는 꿈도 있었습니다. 하지만 그는 어떤 것도 이루지 못한 채 단지 조그만 마을에서 단조로운 직업에 종사할 뿐이었습니다.

자신은 자신에게 기대를 걸고 있는 부모와 형제, 그리고 모든 사람들을 실망시켰다는 생각에 심각한 좌절감을 겪고 있었습니다. 그래서 우울증에 시달리다가 다리에서 뛰어내려 생을 마치려고 결심합니다. 그때 그 주인공을 보호하는 천사가 그를 건지려고 뛰어내립니다.

그런데 그 천사는 수영을 할 줄을 모릅니다. 오히려 주인공이 물에 빠진 천사를 건져내게 됩니다. 그런 다음 천사는 주인공을 데리고 다니면서 만약 그가 없으면 그의 동네가 어떻게 될 것인가를 보여줍니다. 그리고 천사는 그 주인공이 살았던 인생을 돌이켜보게 해줍니다. 평범한 노력과 삶이 실제로는 얼마나 큰 업적인가를 깨닫게 해주었던 겁니다.

천사가 보여준 것은, 과거 속에서 주인공이 베푼 작은 친절에 감사하는 사람들의 이야기였습니다. 주인공은 조그마한 은행에서 최선으로 사람들을 섬겼습니다. 그 일의 결과로 어려움에 처해 있던 사람, 생명의 위협 속에 있던 사람, 좌절 속에 있던 사람들이 어떻게 회복되게 되었는지를 보여주었던 것입니다. 주인공의 작은 친절로 세상을 보다 더 살기 좋은 곳으로 변화하게 되었다는 것을 천사가 보여준 것입니다.

주인공 자신은 하나님을 믿고 바르게 살면서 최선을 다해 성실하고 친절하게 살았지만, 하나님께로부터 받은 보상은 아무것도 없다고 생각하고 있었는데, 그것은 그의 착각이었다고 깨달은 것입니다.

그는 하나님이 자신을 사랑하신다는 것과 그가 베푼 작은 친절들에 감사하고 있는 많은 사람들을 보면서 행복한 인생을 살았다고 고백하기에 이릅니다.

그러나 이 이야기는 그것으로 끝이 나지 않습니다. 그 내용을 촬영하는데 작은 기적이 일어난 겁니다.

주인공은 억울하게 누명을 쓰고 하소연할 데를 찾지 못하고 한 작은 식당에 들어갑니다. 절망 속에서 그는 기도를 합니다. 그런데 이 장면에서 주인공으로 나온 배우 제임스 스튜어트는 중생(거듭남)을 체험하게 되었습니다. 제임스도 이 영화를 찍을 당시 영화

속의 주인공처럼 실제적인 실의에 빠져 있었습니다. 그런데 그 영화 장면의 대사가 자신의 입장과도 같다는 생각을 하게 된 것입니다. 그때는 2차대전 말이었는데, 전쟁이 막 끝난 후라서 대다수의 사람들이 그러했겠지만 제대한 지 얼마 되지 않은 제임스는 미래에 대해 전혀 자신이 없었습니다.

그저 새로운 세계를 향해 발돋움을 하며 몸부림을 치고 있었습니다. 그 영화를 찍는 감독인 프랑크 카프라도 그러했습니다. 자본도 없이 제대한 뒤에 처음 찍은 영화의 성공에 대해 불안하기만 했습니다. 아무런 장래의 보장이 없는 상태에서 자신의 모든 것을 투자했을 때 사람들은 매우 불안하고 초조해지기 마련입니다. 미래의 걱정에 짓눌려 각본대로 대사를 읽었습니다.

"하나님…하나님…. 하늘에 계신 아버지. 저는 기도하는 사람은 아닙니다만 당신이 거기 계셔서 제 기도를 들으신다면 제 길을 인도해 주십시오. 저는 어찌할 바를 모르겠습니다. 제 길을 인도해 주십시오. 저는 어찌할 바를 모르겠습니다. 제 길을 인도해 주십시오. 하나님……."

이 말을 하면서 그는 고난 가운데에 빠져 있는 사람들의 고독과 절망감을 느꼈습니다. 눈에 눈물이 고이면서 흐느끼게 되었습니다.

그것은 전혀 예상치도 않았던 연기였습니다. 기도의 힘이, 또 하늘에 계신 아버지의 힘이 절망하는 사람들을 돕고 있다는 것을 깨닫게 됩니다. 그 흐느낌 가운데서 그 영화의 주인공처럼 천사의 인도와 도움을 받고 있다는 생각을 갖게 됩니다. 미래에 대해 아무런 가능성도 없을 것처럼 보이던 자신의 삶에 희망이 솟는 것을 느꼈습니다.

촬영이 끝나고 이 장면을 본 감독은 너무나 리얼하게 나온 연기에 놀라게 됩니다. 촬영할 때 좀 더 클로즈업시키지 못한 것을 안타까워하면서 필름을 확대하고 확대합니다. 잘 안 보이더라도 좋은 것은 부각시키겠다는 신념이 감독에게 생겼습니다. 결국 그 일로 인해 영화는 히트를 치게 됩니다.

그 이후로 많은 미국 사람들이 크리스마스만 되면 다시 보는 추억의 명화가 된 것입니다. 한 사람의 진실한 기도가 영화 제작진 모두를 변화시키고, 또 그 영화를 보는 사람들의 영혼을 움직이게 하는 결과를 낳았던 것입니다.

이처럼 성탄은 절망 가운데 빠져 있는 사람들에게 하나님의 영원한 사랑을 보여주기 위해 아기예수가 오신 날입니다. 그래서 기독교를 사랑의 종교라고 하는 겁니다.

임마누엘

예수님이 이 세상에 오신 방법은 우리에게 많은 것을 생각하게 해 줍니다.

하나님의 일하시는 방법이 때로는 사람들에게 이해가 되지 못하고 오히려 걸림돌이 되지만, 신앙을 가진 사람들에게는 믿음의 확신을 심어주는 더 큰 메세지가 됩니다. 왜냐하면 하나님이 하시는 일은 너무나도 절묘하고 아름답기 때문입니다.

우리는 예수께서 일류 호화 병실에서 태어나지 않았음을 주목해야 합니다. 그분의 탄생은 신문이나 TV에 나오지도 않았습니다. 오히려 평범하게, 아니 더 비천한 곳에 오셨습니다. 이것이 사람들에게 장애물이 됩니다. 왜냐하면 영웅은 태어나는 것도 특별해야 하기 때문입니다. 그분의 부모는 가난했고 좋은 교육이나 물려줄 어떤 재산도 없는 사람이었습니다. 그의 생애에서 밀어줄 수 있는 배경, 당겨줄 수 있는 높은 사람도 없었고, 지원해 주는 사람도 없었습니다.

그가 사람들을 사랑하며 섬겼을 때 오히려 그들 중의 누구는 예수를 고발했고, 나머지 사람들은 배반하였습니다. 머리 둘 곳, 쉴 곳도 없던 그분은 죽은 뒤에 자신의 무덤이 아닌 타인이 빌린 무덤에 누워야 했습니다.

이것이 하나님이 일하시는 방법입니다. 인간적인 지혜나 방법으로 우리를 구원하신 게 아니라 하나님의 지혜와 방법으로 우리를 구원하신 겁니다.

세상 사람들은 정의를 지키기 위해서는 힘이 있어야 한다고 합니다. 또 사랑을 베풀려면 먼저 많이 가져야 한다고 합니다. 세상을 정화하려면 권력을 가져야 한다고 합니다. 그러나 예수님은 힘도, 재물도, 권력도 그 어떤 것도 가지지 않았습니다만, 그분은 정의를 만드셨고 사랑을 보여주셨으며, 또 그분으로 말미암아 어두움이 물러가고 있습니다. 이것이 하나님의 방법 즉, 임마누엘의 방법입니다.

예수님이 보여주신 삶은 곧 하나님의 삶입니다. 영광 이전에 고난을, 열매 이전에 수고를, 사랑 이전에 희생을 보여주시는 겁니다. 그것이 '임마누엘'입니다.

그러나 우리는 고난 없이 영광을, 수고 없이 열매를, 희생 없이 사랑하려고 합니다. 그러는 인간의 삶은 곧 사탄의 삶입니다. 이러한 삶을 보여주려고 예수님이 임마누엘인 것입니다.

그러면 왜 우리에게 이러한 삶을 보여주십니까? 그것은 우리가 하나님의 형상대로 지음을 받았기 때문에 하나님의 삶을 배우라는 것입니다. 하나님의 법을 배우라는 것입니다. 삶이란 무엇을 심든지 그대로 거두는 것입니다.

우리가 예수님의 삶을 좇아 의와 희락과 화평과 사랑을 심을 때 우리는 의와 희락과 화평과 사랑이라는 천국의 열매를 거둘 수 있습니다.

결론입니다

우리는 매일 성탄을 맞이하듯 살아야 합니다.

참으로 우리는 매일 성탄을 맞이하듯 살아야 합니다. 성탄처럼 산다는 것은 하나님의 뜻을 보고, 공경하자는 뜻입니다. 주님은 "나는 마음이 온유하고 겸손하니 내게 배우라."고 하셨습니다. 그러므로 우리는 주님의 온유와 겸손을 배우고, 희생과 수고를 배워야 합니다. 그것이 하늘의 에너지를 내 속에 채우는 것입니다. 하늘의 에너지를 가득 채운 사람이라야 우리는 행복한 삶을 살 수 있습니다.

사랑하는 성도 여러분!

우리는 매일처럼 성탄의 삶이 내 안에서 이루어지도록 해야 할 것입니다.

하나님 아버지!

우리를 사랑하여 이 땅에 약속대로 오셔서 구원하여 주시고 하나님의 자녀 삼으시려고 구속하여 주시니 감사합니다. 하늘의 왕이시지만, 사람의 몸을 입고 오시려고 동정녀 마리아에게 태어나시어 우리와 같은 사람이 되셨습니다. 예수님을 하나님으로 알아보고 마음으로 믿어 영접하게 하신 것 너무 감사합니다. 하나님 나라 가는 날까지 믿음이 자라서 예수님의 성품을 온전히 배우는 자녀로 살게 하여 주옵소서.

예수님의 이름으로 기도드립니다. 아멘!

하나님의 시간, 카이로스

Time of God, Cairo

(말씀 _ 48)

| 본문 사 43:18-20 |

너희는 이전 일을 기억하지 말며 옛날 일은 생각하지 말라 보라 내가 새 일을 행하리니 이제 나타낼 것이라 너희가 그것을 알지 못하겠느냐 반드시 내가 광야에 길을 사막에 강을 내리니 장차 들짐승 곧 승냥이와 타조도 나를 존경할 것은 내가 광야에 물을, 사막에 강들을 내어 내 백성, 내가 택한 자에게 마시게 할 것임이라.

외울 말씀

"너희는 이전 일을 기억하지 말며 옛날 일을 생각하지 말라."(사 43:18)

관련 동영상

카이로스 크로노스

보라! 내가 새 일을 행하리라

프랑스의 영웅 나폴레옹은 워털루 전투에서 대포를 중요한 위치에 배치해 놓은 후 승리를 장담했다고 합니다. 그런데 작전 개시 바로 전날 밤에 소나기가 쏟아졌습니다. 이 큰 비로 말미암아 대포 바퀴가 진흙 구덩이에 빠져 움직일 수 없게 되어 결국 나폴레옹은 그 전투에서 패배하고 말았습니다. 그 결과 나폴레옹 자신의 운명뿐만 아니라 세계 역사의 방향까지 바뀌게 되었습니다.

'역사는 과연 누구의 손으로 움직이는가?'

이것은 종종 우리의 마음에 의문을 일으키는 문제입니다. 때로는 걸출한 인물들이 역사를 주도해 나가는 것이라고 생각하기 쉽습니다. 선한 사람이 통치하면 평안하고 고루 잘 살게 되지만, 악한 사람이 통치하면 온 세계가 그로 인하여 고통을 겪게 되기 때문입니다.

어떤 때는 이 세상이 악령의 지배를 받고 있는 것이 아닌가 하는 생각이 들 때도 있습니다. 마치 악령에 붙들린 것 같은 사람들이 활개를 치고 선한 사람은 모두 숨어버린 세상처럼 느껴질 때 그렇습니다.

하나님의 시간

성경은 오직 하나님께서 역사를 주관하신다고 말씀합니다. 창세기 1장으로부터 요한계시록 22장까지 성경 전체가 말씀하는 주제는 '역사의 주인은 하나님이시다'라는 겁니다.

이스라엘이 범죄하고 타락할 때 바빌론 제국에 의하여 나라가 멸망하고 백성들은 포로로 잡혀가서 많은 어려움을 당하지만, 하나님께서는 때가 되면 그 백성을 기적적으로 구원해 내시리라는 예언이 오늘 본문에 나옵니다.

그 후 페르시아의 왕 키루스(바사 왕 고레스)가 바빌론을 멸망시킨 후 유대인들을 해방시키고 예루살렘으로 돌아가 성전을 다시 짓고 하나님을 섬기라는 칙령을 내림으로써 이 예언은 그대로 이루어졌습니다.

하나님이 세상을 움직이시고 역사를 주관한다고 믿는 믿음 안에서 우리는 하나님 앞에서 겸손해지고 그분의 도우심에 의지하게 됩니다.

크로노스와 카이로스

시간 { 크로노스 단순히 흘러가는 일상적 시간 / 카이로스 구체적인 사건의 시간 }

그리스 사람들은 시간이란 용어를 뜻이 다른 두 가지 단어로 구분하여 사용했습니다. 성경 속에도 이 그리스적인 시간 개념이 그대로 사용되고 있습니다. 크로노스적 시간으로 보면 그날이 그날이고, 그날이 그날입니다. 그러나 카이로스적 시간 개념으로 보면 우리에게 지나간 한 해 마지막 날보다 새로운 첫날이 의미가 있고, 새로운 결단을 요구하는 시간입니다. '크로노스'는 단순히 흘러가는 시간이요 일련의 불연속적인 우연한 사건을 뜻합니다. 그러나 '카이로스'는 때가 꽉 찬 시간으로 구체적인 사건의 순간, 감정을 느끼는 순간, 구원의 기쁨을 누리는 의미 있는 순간을 뜻합니다. 카이로스는 자신의 존재 의미를 느끼는 절대적인 시간입니다.

성경 속 969세를 산 므두셀라의 시간이 크로노스였다면, 33년의 짧은 생애 동안 위대한 삶을 산 예수 그리스도의 시간은 카이로스였다고 할 수 있습니다 .

임신부가 임신한 후 열 달 동안 아이를 뱃속에 간직하고 있다가 아이를 낳았을 때 그 열 달은 흘러가는 시간으로서의 '크로노스' 입니다. 그러나 해산의 고통을 경험하면서 아이를 잉태하는 바로

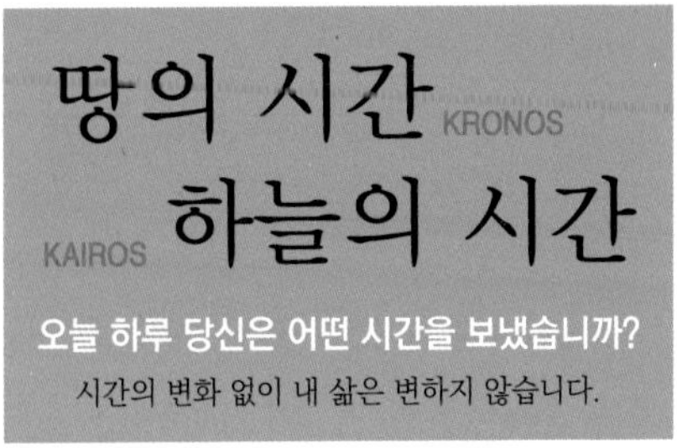

그 순간, 즉 산모의 생명에 대한 기쁨과 다 이루었다는 안도의 평온함을 갖는 순간이 곧 '카이로스'입니다.

크로노스 별로 사건을 연구하는 것을 영어의 크로놀로지(chronology)라고 하는데, '연대기'란 뜻입니다. 순차적인 역사를 말합니다. 고려 시대, 조선왕조, 대한제국, 일제강점기, 분단 시대, 이렇게 연대기적으로 역사를 기록하고 이해하는 관점을 크로놀로지(chronology)라고 합니다.

이 관점에서 보면 오늘은 21세기 초반입니다. 그런데 그리스도인이 이해하는 카이로스 역사관은 질적으로 다릅니다. 카이로스는 하나님과의 관계성 안에 있는 시간입니다. 그것은 또한 더불어사는 삶의 연대성 안에 있는 시간입니다. 따라서 "하나님을 사랑하고 이웃을 네 몸과 같이 사랑하라"는 말씀은 카이로스의 시간을 살아가야 함을 지시한다고 하겠습니다.

우리들이 지나간 365일을 부지런히 왕래하며 살았다고 해도 하나님과 의미없이 살았으면 우리 모두는 크로노스의 시간을 흘러간 미물에 불과합니다. 그러나 매 순간 하나님을 생각하고 그분 앞에서 최선을 다하여 전도하며 헌신하며 살았다면 그것은 카이로스의 시간을 산 것입니다.

시간을 막을 수는 없지만, 기회는 선택할 수 있다

크로노스의 시간은 끝이 없습니다. 그러나 카이로스의 시간에는 마지막이 있습니다. 즉 하나님의 정하신 때가 있다는 말입니다. 그때를 일컬어 파루시아(Parousia)라고 합니다.

부산에 있는 고신대학교의 유명한 교훈이 있습니다. 그것은 바로 루터의 유명한 말 중에 '꼬람 데오(Coram Deo)'입니다.

이 말은 '하나님 앞에서 살라'는 뜻입니다. 그리스도인은 시간적으로 볼 때 '하나님 앞에 서 있는 사람'입니다. 결코 '사람 앞에서 있는 이'가 아닙니다. 하나님 앞에 서 있는 그리스도인은 오늘을 종말처럼 삽니다. 즉 날마다 순간마다 하나님의 마지막 심판이 내일이라는 파루시아를 느끼며 살기에 결코 주어진 시간을 탕진하거나 삶을 포기하지 않습니다. 그 어떤 질곡에서도 파루시아에 대한 대망은 그를 '하나님 앞에 선 인간'으로 다잡아 놓으며, 일곱 번 넘어져도 여덟 번 다시 일어나게 합니다. 여기에 그리스도인의 진정한 소망이 있습니다.

오늘 본문 말씀을 보면 하나님은 이사야 선지자를 통해 과거의 모든 아픈 상처를 모두 치유하고 새로운 희망을 갖게 하는 말씀을 알게 될 겁니다.

18절 19절 말씀을 보면 "너희는 이전 일을 기억하지 말며 옛적 일을 생각하지 말라. 보라 내가 새 일을 행하리니 이제 나타낼 것"이라고 했습니다. 하나님께서는 이스라엘 백성들로 하여금 쓰라리고 아팠던 과거에 얽매이지 말고, 미래지향적인 민족으로 하나님께서 행하실 새 일을 바라보라고 말씀하고 계십니다. 크로노스적인 시간에 얽매인 것은 이 시간을 과감히 버리라는 말입니다. 카이로스적인 시간에 비추어 여러분의 모습을 재조명해 보라는 말입니다.

여러분!

지나간 한 해를 살아오면서 아팠던 상처가 있다면, 나를 앞으로 한 발짝도 앞으로 나가가지 못하게 붙들어매는 것이 있다면, 우리는 오늘 이 말씀을 통하여 새로운 결단을 함으로써 힘차게 미래를 향해 우리의 발걸음을 옮겨 놓아야 할 줄로 믿습니다.

파루시아와 코람데오

여러분이 새해에는 세상의 다른 곳에서 서로 떨어져 살았고 다

영원한 시간에 살자

요일 2:25, 골 3:1-4, 히 1:10-12

른 시간 속에서 흩어져 있던 사람들입니다. 그런데 하나님은 새 일을 행하시게 하려고 디아스포라처럼 흩어지게 했다가 다시 모이게 했습니다. 지나간 시간 속에서 여러분이 작은 일을 한 것이라고 하나님의 마지막 심판의 시간 파루시아에 참으로 칭찬을 듣고 상급을 받을 일입니다. 이 때문에 여러분은 많은 고난을 감당해야 했고, 개인적으로는 가족들에게 많은 핀잔을 들어야 했을 겁니다. 하지만 이제 하나님이 새해에는 새 일을 행하신다고 하셨습니다. 이전 일은 기억도 나지 않게 축복해 주신다고 하셨습니다.

여러분이 하나님 앞에서 카이로스적인 시간을 사셨기 때문에 내년의 파루시아에서는 축복으로 인도해 주실 겁니다.

사울은 크로노스의 시간을 산 사람이고, 바울은 카이로스의 시간을 산 사람입니다. 동일한 사람이지만 거듭난 사람에겐 카이로스의 시간이 주어지는 것입니다.

사람들에게 예수를 믿지 못하는 이유를 물어 보면 '십자가의 하나님은 바보라고 생각하기 때문'이라고 답할 겁니다. 그런데 스스로 신자라고 생각하는 사람들 가운데도 이렇게 미련하게 생각하는 사람이 있습니다. 스스로 속지 마십시오. 십자가가 해답입니다. 예수님이 답입니다. 십자가야 말로 하나님의 지혜입니다. 십자가 사건은 크로노스의 시간 속에 있던 사람을 카이로스의 시간 속으로 들어가게 하는 결정적인 사건입니다. 누구라도 카이로스의 시간 속으로 들어오면 인생이 변합니다.

“자기의 육체를 위하여 심는 자는 육체로부터 썩으진 것을 거두고, 성령을 위하여 심는 자는 성령으로부터 영생을 거두리라.”(8절)

영생을 거두며 사는 것이 카이로스의 시간입니다.

새해는 카이로스의 시간으로 바꾸십시오

사울이 인생의 설계부터 바꾸어 바울이라는 인생으로 거듭났습니다. 그렇다면 여러분도 바꿀 수 있습니다. 인생의 설계부터 바꿀 수 있습니다. 예수께서 하시는 일이 바로 그 일입니다.

“누구든지 그리스도 안에 있으면 새로운 피조물이라 이전 것은 지나갔으니 보라 새 것이 되었도다.”(고후 5:17)

새로운 피조물이 된 사람이 사는 시간, 그것이 카이로스의 시간입니다.

결론입니다

베니스의 상인, 햄릿 등 불후의 명작을 남긴 영국의 시인이자 희곡 작가인 세익스피어의 면모를 보면 실로 놀라운 일들이 많습니다. 그는 중학교 1학년 중퇴의 학력밖에는 갖고 있지 않았습니다. 그러나 세익스피어는 어릴 때부터 책과 가까이했습니다. 소년 시절에 읽은 책의 제목만 해도 한 권의 책이 될만한 분량이었습니다. 집이 가난했던 그는 소년 시절 고향을 떠나 일자리를 얻기 위해 런던 거리를 서성거리고 있었습니다. 그러다가 지나가는 마차에 치어 쓰러졌는데, 마차 주인이 바로 극장주였습니다. 그 인연으로 그는 극장의 잡역부로 들어갔다가 배우가 되었으며, 읽어둔 많은 책들을 바탕으로 희곡을 쓰기에 이르렀던 것입니다. 후에 그는 영국과 바꿀 수 없다는 말을 들을 정도로 훌륭한 작가가 되었습니다.

세익스피어가 자신의 환경에서 헤어나오지 못해 그날 하루하루를 살았다면 결코 그는 영국을 대표하는 문호가 되지는 못했을 겁니다. 하지만 그는 그때부터 주님과 함께하며 자신의 시간을 만들기 시작했습니다. 카이로스의 시간 속으로 들어간 것입니다. 이처럼 누구라도 꿈과 믿음만 있으면 주님 안으로 들어가 마지막 파루시아의 시간을 바라보며 지금 부터라도 카이로스의 시간을 살아갈 수 있습니다.

새해에는 흘러가는 세월 속에서 주님과 함께 동행하며 믿음으로 승리하는 카이로스의 시간 속에 사시기를 부탁드립니다.

하나님 아버지!

주님께서 이 세상의 역사 속에 개입하여 주셔서 홍수에 떠내려가서 멸망할 수밖에 없는 우리 인생을 주님 안에서 새로운 삶, 새로운 피조물, 새로운 시간을 주심을 감사드립니다. 새해에는 주님과 동행하여 카이로스의 시간을 걸을 수 있도록 도와 주옵소서.

예수님의 이름으로 기도드립니다. 아멘!